André Marois

La main dans le sac

la courte échelle

Les éditions de la courte échelle inc.
5243, boul. Saint-Laurent
Montréal (Québec) H2T 1S4
www.courteechelle.com

Direction littéraire:
Annie Langlois

Révision:
Céline Vangheluwe

Mise en pages:
Pige communication

Dépôt légal, 4e trimestre 2006
Bibliothèque nationale du Québec

La courte échelle reconnaît l'aide financière du gouvernement du Canada par l'entremise du Programme d'aide au développement de l'industrie de l'édition pour ses activités d'édition. La courte échelle est aussi inscrite au programme de subvention globale du Conseil des Arts du Canada et reçoit l'appui du gouvernement du Québec par l'intermédiaire de la SODEC.

La courte échelle bénéficie également du Programme de crédit d'impôt pour l'édition de livres — Gestion SODEC — du gouvernement du Québec.

Catalogage avant publication de Bibliothèque et Archives Canada

Marois, André

La main dans le sac

(Jeune adulte; 7)

ISBN 2-89021-873-2

I. Titre. II. Collection.

PS8576.A742M34 2006 C843'.54 C2006-940897-1
PS9576.A742M34 2006

Imprimé au Canada

André Marois

André Marois est né en France et il vit maintenant au Québec. À la courte échelle, en plus de la série Jérémie et Malie, parue dans la collection Roman Jeunesse, il a publié le roman pour adolescents *Les voleurs d'espoir,* ainsi que trois livres pour les adultes.

Auteur de nombreuses nouvelles, André Marois a remporté plusieurs prix littéraires au Québec et en Europe, dont celui du concours de nouvelles policières de l'hebdomadaire *Voir*.

André Marois aime les intrigues policières. Il prétend que sa couleur préférée est le noir, comme dans les romans, les tenues de deuil et les yeux meurtriers.

Du même auteur, à la courte échelle :

Collection Roman Jeunesse

Série Jérémie et Malie :
Meurtre à l'écluse 50
Avis de recherche
Vol à l'étalage
Au feu !

Collection Roman+
Les voleurs d'espoir

Collection Roman adulte
Accidents de parcours
Les effets sont secondaires
Du cyan plein les mains

André Marois

La main dans le sac

la courte échelle

À mon père.

Je tiens à remercier mes
deux premiers lecteurs :
Lyne Lefebvre et
Patrice Dansereau.

Un

C'est un agneau. Il est doux de partout, de caractère surtout. Son imposante stature laisserait plutôt soupçonner le contraire. Massif, large d'épaules, lourd, on évite de le bousculer quand on le croise sur le trottoir. Et puis, il nous parle et sa voix nous parvient, aussi chaude et veloutée qu'une caresse. Il s'exprime sans agressivité. On a l'impression qu'il ne s'énervera jamais, qu'il lui est physiquement impossible d'élever le ton, d'où son surnom : Nounours. Aussi puissant qu'un grizzli, mais sans danger si vous l'approchez.

Nounours travaille de nuit aux abattoirs Darfeuille & Fils, un immense bâtiment recouvert de crépi gris et dominé par une haute cheminée qui crache la même vapeur épaisse, jour après jour. Lorsqu'il arrive aux alentours de vingt heures, les bouchers ont fini leur journée. Il doit alors participer au nettoyage des lieux. On l'a embauché pour sa carrure et il commence toujours sa besogne par le déplacement des énormes poubelles remplies de déchets sanguinolents.

Il est déjà en action. Il en cale une sur son épaule droite, en saisit une autre de sa main gauche et suit un long couloir qui mène de l'atelier de découpe à un conteneur réservé au transport des rebuts de viande. Les morceaux d'os et de gras croupissent là parfois depuis le matin. L'infection putride tuerait dans l'œuf la moindre velléité de sinusite.

Les restes de carcasses sont revendus pour une bouchée de pain à une usine de fabrication d'aliments destinés aux animaux de compagnie. Comment font-ils pour concocter leurs petits plats à l'agneau, au veau ou au poulet, alors que les morceaux sont mélangés ? Y a-t-il un tri qui s'opère ? Nounours en doute. Tout doit être mixé, puis coloré, parfumé, trafiqué et emballé avec des étiquettes accrocheuses — *Suprême de volaille, Spécial du chef au foie de porc* ou *Ragoût royal.*

Ces gros contenants verts pèsent au moins trente kilos chacun. Leur transport est épuisant, même si on est un colosse. Aujourd'hui, il y a une vingtaine de poubelles qui attendent Nounours, alignées le long du mur beige du fond.

Avant de partir, les bouchers aspergent d'eau chaude javellisée les carreaux de faïence blanche pour empêcher les taches de sang de s'incruster. Les collègues de Nounours sont chargés de remettre l'abattoir dans un état de propreté impeccable. On ne rigole pas avec l'hygiène. L'inspection sanitaire pourrait débarquer n'importe quand, effectuer un contrôle et fermer l'entreprise à la moindre infraction au règlement.

Nounours est fatigué. La semaine a été épuisante et il a mal dormi la nuit dernière. Il peine à soulever la deuxième poubelle, mais il préfère quand même forcer avec un double chargement afin de limiter le nombre de voyages. Il franchit l'étroit passage entre le conteneur et la rampe d'entrée délimitée par de longues bandes de caoutchouc translucide suspendues au plafond. Les bouchers peuvent ainsi circuler sans ouvrir de portes. Ils écartent les lanières et celles-ci se replacent aussitôt, maintenant le froid dehors en hiver et le frais dedans en été. Ce soir, le gel de ce début d'hiver a laissé une première couche glissante sur le trottoir. Il s'agit d'avancer avec prudence.

Nounours pose une poubelle, puis saisit l'autre par ses deux poignées pour la vider d'un coup dans l'ouverture qui se referme par un système de clapet automatique.

Son pied dérape. Il lâche prise, afin d'éviter de foncer tête baissée dans la paroi métallique. Les déchets se répandent sur le sol avec un abominable son flasque. On dirait qu'on vient d'éventrer un monstre. Ça fume. C'est répugnant.

Nounours ne montre aucun signe d'énervement. Ce type d'incident fait partie des impondérables de son sale boulot, il faut vivre avec. À quoi servirait-il de jurer ou de donner des grands coups de chaussure de sécurité dans la viande ? Autant garder son énergie pour réparer les dégâts. Ça demeure la meilleure façon de se défouler.

Il redresse la poubelle, ramasse des pattes de poulet avec ses gros gants et balance les restes là d'où ils viennent. Des côtes de cheval suivent le même chemin, puis d'infects boyaux qui ont explosé dans la chute. L'odeur abjecte ajoute à l'horreur de la vue. Non pas que Nounours soit du genre délicat, mais le contenu partiellement digéré par un mammifère dégage un relent acide, piquant, agressant. Nounours doit prendre la matière à pleines paumes pour être exposé le moins longtemps possible à cette senteur faisandée. Il agit vite, avec des gestes sûrs, précis.

Soudain, il se fige. Il allait la saisir comme n'importe quel autre morceau de viande pour la renvoyer dans la masse morte.

Mais ce qu'il voit suspend son geste.

Il ferme les yeux un instant, s'éponge le front avec son poignet, demeure ainsi une quinzaine de secondes. Il travaille trop, c'est évident. Voilà qu'une image venue d'ailleurs surgit dans son quotidien.

Il se redresse, souffle puissamment. Il doit se

reprendre. La soirée ne fait que commencer. Il ouvre ses paupières, fixe la pénombre, tente de distinguer une étoile dans le ciel. Son regard redescend sans se presser, s'accrochant aux détails de la ville. Mais bientôt, les yeux de Nounours retombent sur ce qu'il a cru apercevoir. Il implore un dieu auquel il ne croit pas pour qu'elle ne soit plus là.

En vain.

Une main d'enfant n'est pas un déchet ordinaire.

Nounours jette un coup d'œil aux alentours: les autres sont occupés à l'intérieur. Personne ne peut l'avoir vu. Comment réagir ? Il saisit délicatement sa trouvaille, la rapproche de son visage: c'est une main gauche, sectionnée net dix centimètres au-dessus du poignet. On distingue le cubitus et le radius.

Aucun signe particulier, ni bague ni cicatrice. Les minuscules ongles gardent la trace d'un vernis carmin en partie écaillé.

Pourquoi avoir laissé tomber cette poubelle-ci ?

Nounours se dit que ça aurait pu être pire. S'il avait découvert la tête décapitée dans un autre contenant, il ne serait pas là à disserter sur le pourquoi du comment. Car qui sait si le reste du corps n'est pas réparti dans les autres bidons encore pleins ?

Nounours hésite à vider la seconde poubelle sur le sol. Puis, pour s'empêcher de réfléchir, il la renverse dans le conteneur sans oser regarder ce qu'il fait ainsi disparaître. Voilà une bonne chose de réglée. L'action vaut mieux que la réflexion.

N'empêche... Comment procéder avec la main ? Prévenir la police ? Nounours préférerait éviter toute relation avec des gens en uniforme. Son expérience en la matière est assez dramatique. Sa carrure le place d'emblée dans le camp des coupables. Sa voix tranquille le catalogue comme simulateur. Il n'est jamais crédible avec son profil de brute. Il finit par effrayer les flics, par les impressionner, les décourager. Et ça se retourne toujours contre lui. Nounours paraît trop costaud pour être honnête.

La dernière fois qu'il s'est trouvé au mauvais endroit au mauvais moment, il a passé une semaine au poste. Enfermé dans une pièce exiguë, il y a perdu deux incisives et beaucoup de son temps à tenter de se faire entendre. Seule l'arrestation fortuite du vrai coupable lui avait permis de s'extraire des griffes des hommes en bleu.

Dans ce cas-ci, il serait viré à coup sûr. Il risquerait aussi de tomber sur plus radical que lui. Celui qui a été capable de sectionner le bras d'un gamin ne se gênera pas pour trancher la gorge à l'importun qui a farfouillé là où il n'aurait pas dû.

Nounours n'a pas peur. Il souhaite juste avoir la paix.

Il s'agit de raisonner. Les doigts si fins doivent appartenir à une petite fille âgée de cinq à huit ans.

Rien n'est certain : à cet âge-là, on est délicat. Même les garçons peuvent s'amuser avec les produits de beauté de leur mère. On veut imiter maman, jouer aux grandes personnes.

La paume ressemble à l'intérieur d'un fruit. Légèrement refermée, recouverte d'une peau soyeuse, elle l'implore en silence. Les doigts sont à peine décollés les uns des autres. Le pouce est demeuré tendu. Nounours ne sait pas lire les lignes de vie ou de cœur : celles-ci sont à peine esquissées, prémices d'une existence qui n'est peut-être plus qu'un souvenir. Le poignet est si mince que Nounours pourrait l'entourer deux fois avec ses propres doigts.

Le géant ne peut rester ainsi les bras ballants. Il dissimule la minuscule main près de l'entrée, dans un sac brun à sandwich qui traînait là, puis il retourne à l'intérieur. Les poubelles vides font maintenant un son grave et creux, elles résonnent au moindre coup.

Mais une seule question l'obsède. Il se demande ce qu'il va faire avec cette menotte.

Dehors, elle gèlera. Il pourra la conserver, l'emporter avec lui sans qu'elle pourrisse ni qu'elle sente. Elle n'est pas abîmée : on l'a tranchée depuis peu.

Il y songera plus tard, à tête reposée.

Il reste encore dix voyages à effectuer. Il doit se concentrer sur sa tâche malgré ses pensées qui se bousculent.

Ils sont trois chaque nuit à venir bosser dans les abattoirs Darfeuille & Fils.

Georges, un jeune Haïtien, est chargé des planchers. Il décape le sol avec un nettoyeur à eau bouillante sous haute pression. Perdu dans sa bulle, de la musique branchée dans les oreilles, assez forte pour l'entendre malgré le boucan du compresseur, il traque les souillures dans les moindres recoins. Les traces de sang reculent devant lui. Il les pourchasse jusqu'aux grilles qui trouent le sol tous les cinq mètres. La saleté disparaît là, aspirée, expulsée de l'abattoir par ce démon à la peau sombre qui chantonne des paroles qu'il ne comprend pas : *Aie tchiz com foor tizzz dourre... Foor tizzz dourre... Oh jiiip, takata.*

Georges est peu loquace. Il hausse les épaules quand on lui adresse la parole, ce qui ne signifie absolument rien. Ni « je m'en fous », ni « je ne comprends pas », ni « je ne parle pas votre langue », c'est juste un truc pour qu'on l'oublie. On ne sait pas grand-chose sur lui. La vingtaine, comme Nounours, mais il paraît moins mûr.

Il y a aussi Manuella. La spécialiste des tables de coupe. Elle gratte, astique, récure, désinfecte. Après son passage, personne ne peut soupçonner que des dizaines de carcasses ont été dépecées là, découpées en menus morceaux. Jusqu'au lendemain, où il faut tout recommencer. C'est un travail répétitif, sans fin, mais gratifiant. Car chaque jour est une victoire sur la malpropreté. Manuella considère qu'elle occupe une fonction noble, utile. Elle remplit une mission.

Le nettoyage est indispensable à la bonne marche de notre société. Ceux qui vivent dans la crasse sont pires que des animaux. Même les bêtes prennent soin de leurs poils ou de leur peau, question de survie.

La propreté distingue l'humain du sauvage. En inventant l'aspirateur, le détergent, l'éponge et le décapant antibactérien, l'homme revendique sa position au sommet de la pyramide de l'évolution.

Manuella est fière de participer à ce désir de grandeur. Grâce à son labeur quotidien, elle a l'impression de s'élever. Elle avance, elle sort la tête de l'eau.

Elle fait beaucoup plus que gratter, elle permet à l'humanité de progresser.

Elle apprécie ce Nounours pour son aspect soigné, même s'il ne le sait pas. Le satiné des cheveux du géant la rassure. Un gars aussi impec ne peut que devenir un bon père de famille. Bien sûr, il y a cette étrange odeur qu'il traîne avec lui. Ça ne sent pas la saleté, mais c'est quoi ?

Quand elle le voit revenir pour prendre un nouveau chargement, elle remarque que quelque chose s'est modifié dans son comportement. Sa démarche semble plus pesante, son dos paraît un peu plus voûté, ses sourcils davantage froncés.

Elle le questionne. Ça va, Nounours ? Un problème ? lance-t-elle.

Arraché à ses réflexions, le grand est surpris. Il sourit à Manuella. Ça va, juste un peu de fatigue, dit-il.

Il faut qu'il se reprenne. Ce n'est pas le moment d'en entraîner d'autres dans ses galères. Nounours repart vers la sortie en tentant d'effacer le moindre signe inhabituel sur son visage. Manuella l'observe du coin de l'œil. La charge est si pénible à porter qu'elle interdit toute expression autre que celle de l'effort intense.

Une fois franchi le mur de lanières de caoutchouc, Nounours pose les deux poubelles à terre avec précaution, puis en examine la surface : du gras jaune pâle d'un bord, des résidus rouge sang de l'autre. Mais rien d'identifiable, rien qui appartient à un corps humain.

Dans la journée, les bouchers travaillent à plusieurs. Ils sont une douzaine à trancher et à découper les demi-carcasses encore tièdes, pendues par le tendon des pattes postérieures aux crochets qui glissent sur les rails du plafond. On n'entend pas les cris des bêtes qui savent qu'on va les égorger. Il n'y a là que des experts en découpes savantes qui procèdent avec dextérité : bavette de flanchet, onglet, filet, noix, rumsteck, boule de macreuse…

On ne peut donc pas imaginer que l'un d'eux se soit apporté un petit boulot en extra sans que ses collègues s'en aperçoivent. Si votre voisin prépare des côtelettes avec une fillette, vous réagissez.

À moins qu'ils ne se soient partagé le travail. À ce stade-ci, toutes les hypothèses sont à envisager.

L'explication la plus simple serait qu'un boucher ait pris la main avec lui pour s'en débarrasser discrètement au milieu des rebuts carnés. Le conteneur dehors est expédié par camion dans une usine où personne ne trie son contenu. On pourrait ainsi faire disparaître chaque jour un nouveau morceau de la personne dans la machine à produire de la moulée pour toutous.

Le soir, les poubelles sont réunies au fond de la salle blanche. Elles ne sont pas numérotées, impossible donc de deviner qui a rempli tel récipient plutôt que tel autre. Sauf si on détaille son contenu. Les gars savent s'ils ont dépecé un mouton, un veau, un cochon, des dindes… ou un enfant.

Nounours hésite. Et s'il remettait la main avec le reste des déchets ? S'il oubliait cette histoire qui ne le regarde pas ? Il l'effacerait vite de sa mémoire. Une bonne grosse cuite ce vendredi, une autre samedi pour gommer la précédente et il pourrait repartir pour des semaines de tranquillité. Sans se torturer l'esprit. Ni bêtement risquer sa peau.

Oui, c'est ce qu'il devrait faire. Récupérer la main dans le sac et la perdre au milieu du magma de chair et d'os.

Oui, mais… Non.

C'est plus fort que lui.

Il effectue ses derniers allers-retours, aide Manuella à replacer des gros tiroirs métalliques remplis de couteaux. Il s'esquive, en paroles comme en actes, évitant les questions, fuyant les confidences. Cette Manuella devient parfois trop collante. Nounours préfère garder ses distances.

Lorsqu'il a fini de tout ranger, il sort le premier, après avoir vaguement salué ses collègues d'un coup de menton mal rasé. C'est Manuella qui se charge de la fermeture.

Le froid est pénétrant. Nounours ne se couvre jamais assez. Il compte sur sa grande masse pour le protéger des assauts de l'hiver. Cette nuit, son blouson en coton ne suffit vraiment pas. Le colosse grelotte.

Il contourne le bâtiment plongé dans le noir. L'abattoir est un énorme cube entouré de parcs de stationnement, placé à l'écart des habitations, comme en quarantaine. De chaque côté de la bâtisse, des traverses de chemin de fer recyclées protègent les murs des mauvaises manœuvres des chauffeurs de bétaillères.

Pas un chat en vue.

Nounours longe le conteneur qu'il a rempli plus tôt. D'un bond, il grimpe sur le bord de la rampe d'entrée, rejoint la cachette, empoigne le sac de papier.

C'est étrange. Il a l'impression de serrer une main

à travers un gant. Il la tient un instant comme s'il la saluait, son bras à l'horizontale. Il effectue même un mouvement de haut en bas. Bonjour la môme, je t'emmène dans ta nouvelle maison.

Nounours plonge sa trouvaille dans sa poche. Il n'a pas lâché les doigts qui ont eu le temps de se raidir. Il se sent tel un père qui voudrait réchauffer son enfant sorti jouer dans la neige sans ses moufles. Il chasse cette idée de sa tête, revient sur la route qui longe l'immeuble, détache son vélo et s'éloigne à grands coups de pédales.

Cinq kilomètres à parcourir, ça finit par le réchauffer.

Deux

Nounours habite un immense appartement construit en longueur, très haut de plafond. Il y a toujours vécu depuis qu'il a quitté la campagne pour venir travailler en ville. L'endroit n'a jamais été repeint, mais la patine sur les antiques moulures autour des portes lui donne un certain cachet.

Six belles pièces, un loyer minime et une odeur pour expliquer cela. Son logement occupe l'espace au-dessus d'un restaurant indien : Le Bombay Star. Les effluves de cari ont depuis longtemps envahi chaque recoin, l'air, les murs et le maigre mobilier. Même ses vêtements en sont imprégnés. C'est âpre, piquant, permanent. Mais Nounours a déniché là un refuge que personne ne viendra lui disputer. Le parfum qu'il retrouve l'apaise : il est garant de sa sérénité.

Nounours file dans la cuisine, si vaste qu'on

pourrait presque y tenir un banquet de laboureurs. Il ouvre le congélateur, dépose délicatement le sac. Il le regarde avec méfiance, sentant bien qu'il n'agit pas là de manière sensée. Ne prends pas froid, petite sœur, susurre-t-il.

Il se lave, puis se couche.

Un matelas d'une place a été jeté au centre de la pièce la plus éloignée de la porte d'entrée. De lourds rideaux de velours permettent au géant de prolonger son sommeil quand le jour se lève. La couverture est un peu trop courte. Il la remonte jusqu'au menton et ses pieds dépassent à l'autre bout. Chaque fois qu'il se couche, il se répète qu'il devrait en acheter une nouvelle, plus longue, plus chaude. Chaque fois qu'il se lève, il oublie cette histoire d'extrémités givrées. Il faudrait qu'il le note sur un bout de papier.

En ce moment, il pense à sa main. Celle qui est en train de geler. Se peut-il que sa propriétaire ait survécu à cette mutilation ?

Il s'endort les orteils à l'air. Le plancher est chauffé par les fourneaux du restaurant, situés juste en dessous.

Demain, il faudra prendre une décision. Nounours sait qu'il s'est comporté de façon stupide. Il lui sera facile de la rapporter et de la replacer là où elle devait finir.

Il se tourne et se retourne, monte sa couverture puis la redescend. Il se lève et va boire un verre d'eau dans la cuisine. Il attrape une bouteille de rhum, porte le goulot à ses lèvres, avale une gorgée, puis deux.

Nounours observe l'imposant frigo blanc. Un aimant représentant un ours assis sur le logo d'une marque de gâteau glacé est fixé sur la porte. Depuis la première semaine que le grand a emménagé ici, le plantigrade n'a pas bougé d'un millimètre. Il lui ressemble : immuable, doux, silencieux.

Le regard de Nounours semble transpercer la cloison au-dessus, celle du congélo. La main l'appelle. Hé ! il fait froid là-dedans.

Il va se coucher.

Il se sent bizarre.

Depuis quand croit-il entendre des voix ? Son cas ressemble à de la schizophrénie. Il serait peut-être temps qu'il se trouve une femme, qu'il fonde une famille avec de vrais enfants vivants qui courent vers lui en lui tendant leurs petites mains potelées. La solitude n'est pas saine pour le mental, mais Nounours préfère se tenir en dehors de la meute.

Il s'apaise. Sa respiration redevient régulière.

Il n'est pas plus con qu'un autre. Ni plus intelligent. Il a juste choisi un mode d'existence qui le préserve. Il craint les autres. Il se dit qu'il devrait avoir des choses profondes à partager, mais il ne sait pas quoi leur raconter à part des banalités. Il a peur qu'on le juge, qu'on le trouve ennuyeux, creux. Ses congénères l'effraient.

Le week-end, il sort dans les bars pour boire et regarder des matchs de foot à la télé avec d'autres gars dans son genre. Ils se connaissent et leurs discussions ne traitent jamais de leur intimité ni de leurs sentiments. Ils se soûlent méthodiquement, afin d'effacer la misère des jours passés, de faire le vide et surtout, de profiter du présent. Ça les protège des remises en question stériles, des introspections inutiles. Leurs vies ont le mérite de ne pas dépendre d'autrui. Ils fonctionnent sans allocations du gouvernement, sans amitiés ni états d'âme. Ils travaillent fort. Ils mourront en paix.

Nounours ferme les yeux.

Lorsqu'il se réveille, il fait grand jour. Il est affamé.

Il se prépare un café avec l'eau chaude du robinet et une poudre qui se dilue instantanément. Il ouvre la porte du congélateur pour vérifier que la main est toujours présente. Qui serait venu lui voler ce bout de membre ? Il délire.

Nounours songe que, justement, si quelqu'un découvrait ça chez lui, il aurait de sérieux ennuis. Qui croirait qu'il a trouvé cette main dans une poubelle de déchets de boucherie ? Qui accorderait sa confiance à ce mastodonte qui pourrait assommer un chien d'une simple pichenette ?

Ça mérite réflexion.

Il ne peut pas la conserver indéfiniment.

Il descend l'escalier et va acheter un pain à l'épicerie. Il prend aussi le journal. On ne sait jamais.

Aucune disparition d'enfant, au complet ou en partie, n'est signalée. Il parcourt les annonces une à une. Une mère qui cherche un morceau de sa fille pourrait y avoir lancé un appel au secours.

Il lit la page des sports. Son club dispute le lendemain un match décisif. La soirée sera intense. Il pourra oublier son trouble passager. Ça lui soulage l'esprit.

Le foot, c'est pratique pour être avec les autres en ne tenant que des propos impersonnels. Nounours n'est pas un vrai fanatique, mais il profite de l'engouement général pour fonctionner en société. Le sport lui permet d'avoir une vie sociale. Ça l'aide.

Il se gave de tartines beurrées, regarde sa montre : encore deux heures avant de commencer son travail. Il ne peut pas rester ici à tourner en rond. Il décide d'aller se balader.

Nounours finit sa toilette en cinq minutes, s'habille avec les vêtements d'hier, sort précipitamment. Il marche au hasard, la tête dans les épaules et les poings enfoncés dans ses poches. La fine couche de blanc translucide sur les toits des voitures a gagné en épaisseur. Le géant progresse à un rythme régulier. Ses enjambées sont grandes. Il perd vite de vue l'immeuble du Bombay Star.

Nounours frappe du pied une boîte de conserve qui traîne sur le trottoir. La violence de son geste le surprend. Il comprend qu'il est en colère contre lui-même. Il s'en veut de s'être ainsi laissé happer, d'avoir permis à un événement extérieur d'exercer une emprise sur lui. La dernière fois qu'on a ainsi dérangé son univers, il avait huit ans et la nouvelle femme de son père avait décidé de reprendre son éducation à zéro, la jugeant ratée. Elle voulait qu'il réapprenne à manger, à parler, à se comporter avec les autres, reniant tout ce qu'il était. L'expérience avait duré une semaine qui lui avait paru une éternité, à la suite de quoi il s'était enfui chez sa vraie mère. Le souvenir de cette étrangère cherchant à lui donner une nouvelle identité demeure gravé dans sa chair. Il n'a plus jamais supporté qu'on essaye de le changer. C'est pourquoi il préfère rester seul. Il s'est fermé aux autres pour garder son intégrité.

Soudain, voilà qu'il permet à une main de chambouler son existence. Il faut absolument qu'il s'en débarrasse. Il agira ce soir, dès qu'il arrivera à l'abattoir. Hop, direct dans le conteneur ! Retour à la normale.

Il revient sur ses pas, déterminé. Ce n'est pas aujourd'hui qu'il va se laisser faire. Pas question.

Trois

Nounours se rapproche de l'abattoir. D'habitude, il y a juste quelques lampes fixées aux murs d'enceinte qui trouent le noir de la nuit. Ce soir, on se croirait dans une fête foraine. Ça clignote en bleu et rouge. Un puissant projecteur balaie les portes closes. D'autres faisceaux lumineux, plus minces, explorent le stationnement.

Nounours pédale plus vite.

Quand il arrive, un flic lui fait signe de descendre de son vélo et de rester en dehors du bâtiment. Circulez, lance-t-il. Ce n'est pas un spectacle.

Nounours explique qu'il vient faire le ménage, comme toutes les nuits. On vérifie son identité sur une liste de noms. Il doit patienter.

Il interroge à son tour, demande ce qui s'est passé. Pourquoi un tel déploiement de forces policières ?

On ne veut pas lui répondre, mais il suffit de tendre l'oreille pour comprendre qu'il y a eu du grabuge dans la journée. Un boucher est mort, un autre est blessé. On parle de règlement de comptes, d'arrestation, d'enquête.

Nounours se sent dans la peau du coupable. La main est dans sa poche, dans le même sac de papier brun que la veille. Si on le fouille, c'est la catastrophe.

Il frissonne, car la sueur sur son corps refroidit rapidement après le trajet en bicyclette. Pourra-t-il travailler ce soir ou doit-il revenir plus tard ? Demain samedi ? Il ne voit aucun chef, sous-chef ni patron à qui poser ses questions. Que fabriquent les Darfeuille, père et fils ?

Manuella arrive à son tour. Nounours lui raconte le peu qu'il sait ou qu'il pense avoir compris de la situation. Elle s'énerve, commence à discuter fort, exige de rencontrer un gradé. Elle va rameuter tous les uniformes si elle continue comme ça. Nounours s'en éloigne de quelques mètres afin de signifier qu'il n'est pas solidaire de cette furie. Il ne doit pas trop attirer l'attention.

Voilà que Manuella revendique le droit de pouvoir accomplir sa tâche de nettoyage. C'est sa fonction, sa responsabilité. Elle exige un laissez-passer.

Un jeune flic met fin à ses jérémiades. Le contraire de sa requête va se produire : il ne faut surtout pas décrasser les lieux du crime. Manuella reste bouche bée en entendant cela.

Le policier révèle qu'un boucher a découpé un autre boucher avant d'essayer de se suicider à coups de hachoir. Enfin, d'après ce qu'on lui a rapporté. Il ne peut rien dévoiler sur les identités et à ce stade-ci, ne connaît rien des mobiles, ni des circonstances exactes du carnage. L'enquête ne fait que débuter.

Manuella et Nounours comprennent que les flics ont un travail à accomplir : confronter les survivants, reconstituer la scène, relever les empreintes… Et eux, ils n'ont rien remarqué de particulier ? demande le représentant de l'ordre. Le grand explique qu'ils ne connaissent aucun de ceux qui œuvrent pendant la journée dans l'abattoir.

Georges arrive sur ces entrefaites. Un Noir peu loquace avec des écouteurs qui lui couvrent les oreilles, c'est encore plus louche qu'un géant. On l'isole. Nounours vient à sa défense. Chacun fait son boulot : les uns salissent et eux astiquent. C'est ainsi depuis plusieurs années pour Manuella et lui, plusieurs mois pour Georges. Un bon gars.

Le flic finit par noter leurs coordonnées. Revenez lundi. Vous verrez bien. Votre patron vous passera sûrement un coup de fil d'ici là. Nous, on doit y retourner.

Les trois employés se retrouvent désœuvrés comme ils ne l'ont jamais été. Puis ? Que faire de ce temps mort ? Manuella suggère d'aller boire un café. Deux « ouais » mous lui répondent.

Nounours marche en tenant son vélo par la selle. La roue avant louvoie. Manuella l'accompagne tandis que Georges les suit en fredonnant : *iou tek mi ouif pa chone*. Ils entrent dans un bar ouvert vingt-quatre heures sur vingt-quatre, fréquenté par quelques oiseaux de nuit.

Qu'est-ce qu'on boit ? Nounours est tenté de commander un alcool fort, mais il préfère attendre d'être seul. Il imite Manuella et demande un café au lait. Georges choisit une limonade.

Manuella commente l'aventure en vidant la moitié du sucrier dans sa tasse fumante puis en remuant avec le dos d'une fourchette. Ça aurait pu être nous à la place du pauvre boucher. On serait morts à l'heure qu'il est. Ça ne doit pas être beau à regarder là-dedans. On va avoir du boulot pour nettoyer toutes leurs saloperies. Un meurtre, c'est effrayant. Manuella parle pour trois. Nounours acquiesce, mal à l'aise, puis finit par éteindre le baladeur de l'Haïtien. Ce n'est pas poli de chanter à table, lui explique-t-il. L'autre sursaute, lance un regard sombre au géant mais ne bronche pas. Un silence. Ils avalent tranquillement leurs consommations. Ils ont des minutes, des heures à revendre pour une fois, même si personne ne veut les acheter.

Manuella leur demande quels sont leurs projets pour ce week-end. Le foot, répond laconiquement

Nounours. Georges grommelle: *Gretzsmalui.* Personne ne comprend ce que signifie *Gretzsmalui*, mais ça n'a aucune importance. Moi, je vais au zoo avec mon neveu, lance joyeusement Manuella. Il adore les singes. J'ai rempli un plein sac de morceaux de pain dur pour leur envoyer. Mon neveu aime les voir se battre pour un croûton.

La conversation s'écrase en plein décollage. Les membres du trio nettoyeur n'insistent pas. Fin de l'épisode et à la prochaine. À lundi. Ouais, c'est ça: à lundi.

Nounours n'a pas envie de retourner chez lui. Pour y faire quoi? Tourner en rond comme le chimpanzé du neveu qui attend les visiteurs et leurs éternels restants de baguette rassie? L'énergie naturellement accumulée pour transporter les poubelles semble avoir besoin de jaillir de ses muscles. Il doit se dépenser, se défouler. Il se fixe un but lointain et décide de pédaler le plus vite possible pour l'atteindre.

L'air est froid, mais le grand se donne du mal et il ne tarde pas à transpirer en abondance. Il appuie sans relâche sur ses pédales. Il a décidé de descendre jusqu'à l'eau, de longer les quais vers le vieux pont, puis de remonter par l'ancienne route. Nounours effectue rarement d'aussi longues distances. Mis à part son trajet quotidien, il utilise assez peu son vélo. Là, il faut qu'il se fatigue, sinon il va péter les plombs. Il tente en vain d'évacuer la petite main de son esprit. Il serre les dents, avance encore et encore. Il sent l'odeur du fleuve qui se rapproche. La descente est facile : il va vite, trop vite pour sa bicyclette pourrie, mais son poids stabilise l'engin. Il agrippe le guidon avec force, maintenant coûte que coûte sa trajectoire. Ça tangue, ça vibre, ça accélère de plus belle. Il ne freine pas. Son destin dépend de ce test ultime. Il faut le passer avec succès. S'il ne chute pas, il trouvera la solution : il saura comment se sortir du pétrin. Le terrain devient plat, Nounours poursuit sur son élan. C'est très agréable. Il a envie de crier de joie. Il tend les jambes vers l'avant. La vie devrait être simple comme cette descente échevelée sur son vieux vélo rouillé. La vitesse le grise, l'adrénaline agit, la tension retombe. Cet instant d'émotion lui ressemble si peu, il en est surpris.

Et s'il jetait simplement la main dans le fleuve ? En douce, ni vu ni connu ? Mais Nounours connaît mal les lieux. Elle pourrait revenir s'échouer sur la berge. Un pêcheur risquerait de le voir lancer ce drôle de sac. Un touriste japonais le filmerait par hasard — il y a toujours des touristes japonais qui filment nos faits et gestes.

Il a du mal à se l'expliquer, mais il sait que cette main ne doit pas le quitter immédiatement. Il réalise que tout à l'heure, lorsqu'il a vu les policiers, il s'est senti soulagé. Il tenait une bonne excuse pour conserver sa découverte.

Nounours se redresse, tâte sa poche. Elle est bien là. Cette présence temporaire possède un sens qui lui échappe.

Il a faim. Il s'est dépensé à l'excès. Il doit avaler quelque chose s'il compte rebrousser chemin avec la même vigueur.

Quatre

Son verre est vide. Le hic, c'est qu'il ne se souvient pas de l'avoir bu. La télévision joue de plus en plus fort — signe que la nuit est bien avancée.

Nounours signale qu'il veut remettre ça. Il commande une chope de bière blonde. Il doit se calmer sur l'alcool s'il veut rester conscient le plus tard possible. Avec qui parlait-il déjà ? Ah oui, le gars avec le soleil tatoué sur l'avant-bras. Ils devaient discuter des équipes pour le match de demain soir, répéter les trucs connus, faire semblant d'avoir des infos exclusives sur tel ou tel joueur. Pourtant, tout le monde sait qu'on lit les mêmes journaux, qu'on suit les mêmes émissions.

Il a demandé au type qui lui avait tatoué son astre scintillant, mais la réponse n'est jamais venue.

Le grand n'a pas ôté son manteau. Il n'a pas besoin de vérifier, il sait que la main est encore là, même si elle pèse si peu. Vu la température ambiante, elle risque de se réchauffer, de se décomposer. Au milieu des odeurs d'hommes, ça peut encore passer. Jusqu'à quand ?

Il n'a aucune idée depuis combien de temps il se trouve là.

Il voit un long trou noir. Il se souvient à peine du retour en vélo, l'épuisement, le bar, un verre, deux verres, dix verres. On ne boit jamais d'eau ici. Il devrait aller s'asperger le visage dans les toilettes.

Nounours plisse les yeux et déchiffre la position des aiguilles sur la grosse horloge derrière le comptoir: bientôt vingt et une heures. Il a encore de la marge. Demain, il pourra dormir tout son soûl.

Sa mousse arrive pour l'empêcher de réfléchir. Il en avale une gorgée qui lui rafraîchit le gosier. Il veut prolonger le plaisir. Son voisin tatoué parle trop fort avec deux gars assis à une table. On n'entend presque plus le commentateur sportif annoncer ses pronostics pour la partie. Le son est poussé au maximum. On hurle dans tous les coins du bar.

Ça ressemble à une porcherie à l'heure de la moulée. Soudain, un silence général se fait parmi les couinements affamés. Deux secondes, puis ça repart de plus belle. Les clients se sont tus ensemble, et voilà que les vociférations reprennent, les blagues salaces fusent, les rires virils éclatent. Quelle ambiance… Le bar qu'il fréquente d'habitude n'est guère mieux, mais un peu moins pire, lui semble-t-il. On y voit parfois une courageuse représentante du sexe féminin. Ici, les mâles dominent totalement la situation. Nounours ignore dans quel quartier il a atterri. S'il s'informe auprès du barman, il sera catalogué demeuré ou alcoolique fini. Il préfère s'abstenir. Simple précaution.

Il faudra bien qu'il se décide à sortir et qu'il trouve le chemin pour rentrer chez lui. Il improvisera le moment venu. Nounours tente de se concentrer en contemplant son verre à moitié vide. Il descend le reste d'un coup.

En levant les yeux pour repérer le serveur, il a l'impression que quelqu'un l'observe. Désagréable sensation.

Il y a ce gars — il le distingue à peine au bout du bar — qui le regarde. Ses yeux sont fouineurs et vagues en même temps. C'est un petit homme qui ne paye pas de mine, un visage aux pommettes saillantes, des cheveux noirs bouclés, une bouche minuscule qui tète une cigarette, une grande veste en velours noir.

Une nouvelle chope apparaît devant Nounours. Il y trempe les lèvres. Il déteste qu'on le fixe ainsi. Le gars avec le soleil tatoué s'adresse à lui comme s'ils se connaissaient depuis la maternelle. On va gagner avec quel score final ? lance-t-il. Nounours pronostique un trois à zéro. Rien de moins.

Ils discutent encore des équipes, de stratégie, de statistiques, de blessures, de remplaçants et d'arbitrage.

La bière est bonne par ici. Il questionne son voisin sur l'identité de l'homme qui est assis au bout du comptoir. Le frisé.

Son interlocuteur affiche une moue, il lui conseille de ne pas s'approcher de ce gaillard. Celui-ci vide les poches. Tout le monde connaît Fred par ici. On s'en méfie. On n'a pas envie de se faire plumer.

Nounours se raidit. De quoi parle-t-on exactement ?

C'est un pickpocket de métier. Un très bon, à ce qu'il paraît. Il s'est déjà fait coincer au centre-ville, on lui a cassé la gueule, on l'avait pris la main dans le sac, mais il s'en balance, il récidive. C'est son gagne-pain : il ne connaît rien d'autre. Chacun son habileté, hein ! Du moment qu'il vole ceux qui ont du blé, ça ne gêne pas, mais qu'il ne s'avise pas de tenter un sale coup sur nos terres. On ne le ratera pas, c'est certain.

Nounours écoute à peine les commentaires. Il a peur de comprendre. Le pickpocket a dû lui dérober ce qu'il cache sur lui.

Lentement, Nounours descend ses doigts pour aller palper sa poche de manteau. Il reconnaît la forme dure. Rien n'a été subtilisé. À moins que le voleur ait remis en place ce qu'il venait de prendre. Vu l'état dans lequel il se trouve, on aurait pu lui piquer son slip sans même qu'il s'en aperçoive. Il doit réagir.

Nounours se dirige vers les toilettes. Marcher un peu lui évitera de s'ankyloser les neurones.

Il contourne le bar feignant d'ignorer l'escamoteur. Il vide sa vessie, s'asperge le visage d'eau froide. Il se regarde dans le miroir. L'éclairage n'est pas fameux, mais il distingue un gars à la mine ravagée. Bah, il n'y a personne à séduire dans cet endroit. Ce serait plutôt le contraire. Il y a du monde à dégoûter de survivre. Il s'apprête à sortir, se ravise. Il s'enferme dans une toilette, examine son drôle de trésor : c'est bien la même main avec les taches de rouge sur les ongles. Elle n'est plus glacée, mais elle demeure fraîche.

Nounours la contemple avec un mélange de répulsion et de pitié. L'alcool accentue son malaise. Le désarroi d'hier remonte en lui. Il frappe le mur de son poing. Une fois, deux fois, il ne sent rien. Lui, le tendre, il ne se reconnaît plus. Il la range dans une poche de son pantalon.

Il rejoint le bar et va s'installer près de ce Fred, le pickpocket, qui éteint son mégot dans un cendrier plein à ras bord. Il le bouscule avec rage pour pouvoir poser ses coudes sur le zinc. Le serveur l'a vu. La même chose, s'il vous plaît. Le chapardeur professionnel sirote un verre rempli d'un liquide bleu. C'est quoi ce drink ? Ça n'a pas l'air buvable, lance le géant.

Les deux hommes se jaugent. Nounours dépasse l'autre d'au moins trente centimètres, le forçant à incliner sa tête en arrière pour ne pas avoir à parler à son torse. Fred rétorque qu'il boit ce qu'il veut. Et toi, c'est la bière qui t'a fait grandir ? ajoute-t-il. Ma mère m'a toujours dit que c'était la soupe qui avait ce pouvoir. Nounours affirme qu'elle lui a menti. Regarde-toi, minus.

Nounours protège ses poches. Son portefeuille est dans son pantalon, à l'avant. Il le sent contre sa cuisse. Sa clé d'appartement est cachée au-dessus du cadre de la porte d'entrée.

Je pourrais t'écraser ta petite face de voleur d'une simple chiquenaude, lance-t-il au frisé. Mais pourquoi donc ? répond celui-ci. Je n'aime pas qu'on me regarde quand je bois, dit Nounours. Le dialogue s'enchaîne et s'accélère. Fred tente de bluffer. Tu sais que t'es pas chez toi ici, t'es sur mon territoire, alors arrête ton numéro. Si tu me touches, les trente gars autour vont te mettre en pièces.

Le géant rigole. Il me semble que tu n'es pas si populaire que tu l'affirmes, monsieur le pickpocket nain. Essaie, vas-y, bats-toi, dit-il en bousculant le petit.

Le bouclé demeure tranquille. Il ne manque pas d'aplomb. Nounours ne peut pas prendre de risque. Il n'est pas en terrain connu, il a une chose compromettante sur lui et il a bu. L'autre ne semble pas soûl. Sa boisson bleue est probablement un leurre. Du colorant et de l'eau gazeuse pour simuler un cocktail. Dans un monde d'ivrognes, la sobriété mène à l'enrichissement.

Nounours descend sa chope d'un trait, rote longuement, puis attrape le voleur par le collet. Il faut que ce minus sente la puissance qui peut jaillir de ses bras. Nounours le soulève du sol sans forcer. Ce nabot pèse moins qu'une poubelle de déchets. Aucun des soi-disant copains du filou ne réagit. Ils ne devaient pas lui sauter dessus en cas de problème ? Le détrousseur ne bronche pas, trop fier.

Alors, dit Nounours sans baisser la voix. Qu'est-ce qu'ils font, tes amis ? Faut-il que je te brise la nuque pour qu'ils interviennent ? Veux-tu couiner un peu pour les avertir ?

L'escamoteur ne trouve pas la plaisanterie amusante. Il déteste attirer l'attention en se rendant ridicule. Repose-moi, je vais t'expliquer, dit-il. Tu vas m'expliquer quoi ? répond celui qui le maintient dans les airs. Le pickpocket veut éclaircir pourquoi il le regardait plus tôt. Sans relâcher son étreinte, Nounours l'invite à s'exprimer. Arrête tes blagues, je ne dirai rien tant que je n'aurai pas les pieds sur le plancher, s'impatiente le petit.

Nounours le pose à terre à contrecœur. Ce fourbe a tout intérêt à ne pas tenter de le berner. Il n'y a rien qui pourrait le mettre plus en rogne.

Fred est invité à raconter, mais d'abord, il devra se comporter comme un enfant sage : en gardant ses deux instruments de travail à plat sur le comptoir.

Le petit boit une gorgée. Il ne tremble pas. Il n'a pas quitté Nounours des yeux. Il a du cran, ce gnome.

Tu peux m'humilier si ça t'amuse, mais ça t'avancera à quoi ? Si je t'observais tantôt, c'est juste que mon boulot m'a appris à jauger le monde en un clin d'œil. Je repère vite les riches déguisés en prolétaires, les flics en civil, les dangereux, les enfants de salaud. Toi, tu débarques ici avec ton air de chérubin, mais tu n'entres dans aucune de mes catégories. Je sens qu'il y a un truc qui te tracasse, mais je n'arrive pas à mettre le doigt dessus. Tu n'as pas la gueule du cocu, ni du tueur à gages, pas plus que du sniffeur de colle en manque. Qui es-tu ? demande-t-il pour finir.

Nounours est soulagé par cette explication, mais il préfère demeurer sur ses gardes. La psychologie humaine, ce n'est pas son fort au géant nettoyeur. S'il en dit trop, il sait qu'il finira par se retrouver piégé. Les parleurs forment une race à part. Il faut les laisser entre eux, ne pas jouer leur jeu. Dans le doute, le silence est d'or, se plaît-il à se répéter.

Il ne répond pas à la question du bouclé, se contentant de lui broyer l'épaule en lui conseillant de se mêler de ses affaires.

Nounours sort. Il ramasse son vélo qui gît à terre. Logiquement, il faut remonter la pente pour rejoindre le quartier où il habite. Il devrait y arriver.

Cinq

Fred est déjà dehors. Il se déplace rapidement, mais ses pas semblent lents. Ses techniques lui imposent de ne pas attirer l'attention, de se fondre dans la masse. Ne pas donner l'impression que l'on tente de s'enfuir. Feindre l'indifférence autant que la nonchalance.

Il tourne le coin de la rue, se réfugie sous un porche. Pourquoi a-t-il agi de la sorte ? Il ne vole jamais dans ce bar. Il n'essaie même pas. Les clients savent qu'il est un pickpocket et c'est précisément pour cette raison qu'il aime passer du temps dans cet endroit. Ça le détend. Partout ailleurs, il joue un personnage. Au milieu des ivrognes, il peut redevenir un gars ordinaire.

Ce géant ivre était porteur d'un secret. La bière ne réussissait pas à cacher son trouble. On ne l'avait jamais vu dans le quartier. Un drôle d'oiseau de passage.

Fred extirpe ce qu'il a dérobé au colosse pendant que celui-ci le malmenait. Un sac de papier brun à moitié déchiré, mouillé, plutôt léger. Aurait-il enfreint sa règle pour le restant d'un sandwich ? Son flair l'aurait-il trahi ? Ce serait bien la première fois.

Jamais encore il n'avait volé par simple curiosité.

Il sort doucement la main du sac. Son pouls s'accélère. Sa colère explose.

C'était donc ça ! Il a vidé les poches d'un monstre. On n'a pas le droit de jouer avec une main. C'est la partie la plus sacrée du corps humain, si fragile, si forte, si habile, si parfaite, si… C'est son outil de travail.

Les deux raisons de vivre de Fred sont l'argent et ses enfants. Grippe-sou, il prend autant de plaisir à s'approprier l'argent d'autrui qu'à le conserver jalousement dans sa cachette. Papa poule, il se comporte avec ses petits comme s'ils ne vieillissaient jamais, requérant sa protection pour le moindre geste.

Et voici qu'il dérobe un fragment de jeunesse. Ces cinq petits doigts, cette paume et ce début de poignet appartiennent à une enfant. Il en veut au géant qui se promenait avec. Maintenant, c'est lui, Fred, qui se retrouve avec ce fardeau. Il ne peut ni le jeter ni le rendre à sa propriétaire. Il se sent coupable sans raison, par cette simple possession.

Fred décide que ce sauvage mérite d'être châtié.

Il replace la main dans le sac. Il faut la déposer en lieu sûr.

Personne n'indiquera au géant où Fred habite. Les habitués du bar ont peu de manières, mais ils ont des principes. On se méfiera d'un étranger fouineur. On lui brisera le nez si nécessaire. On avertira Fred de la présence du grand type dans les parages.

Maintenant, il s'explique mieux l'étrange comportement de Nounours. Sous ces allures de gros doux se dissimule en fait un tortionnaire. Fred frissonne d'horreur. Une main ! Celle d'une fillette !

Qui est ce gars pour commettre un acte si abject ? Quel plaisir trouve-t-il à se déplacer avec le fruit de son abomination ?

Fred a deux fils et deux filles — la prunelle de ses yeux. Il pense à eux en frémissant. Si une telle barbarie leur arrivait... On ne peut être témoin d'une atrocité et demeurer les bras croisés. Le voleur se sent investi d'un devoir de vengeance.

Il rentre chez lui, se réfugie dans le garage encombré de mille débris. En apparence, l'espace fait défaut, le désordre a tout envahi. Fred cache là ses larcins. Il déplace une pelle rouillée, se faufile entre deux piles de chaises trouées, un canapé vétuste, une demi-table de ping-pong et des caisses remplies d'objets hétéroclites. Zigzaguant en souplesse, il parvient au mur du fond. Un frigo de chambre d'hôtel ronronne sur le sol en béton. Il actionne le mécanisme du cadenas à chiffres. Deux fois à droite, une fois à gauche. Ses gestes trahissent une vieille habitude. Il installe avec délicatesse la main dans le compartiment à glaçons.

Le contenu des portefeuilles qu'il dérobe est soigneusement rangé dans des boîtes hermétiques. Inaccessible, anodin, solide, ce réfrigérateur remplit son rôle de coffre à la perfection. Sa taille suffit amplement à accueillir les butins du pickpocket. Ce dernier ne subtilise que des bijoux, des cartes de crédit, des passeports, quelques appareils miniatures très coûteux. Rien d'encombrant. En plus, le frigo fonctionne normalement et contient en permanence de la bière, de l'eau pétillante et du soda à l'orange.

Fred prend une bouteille. Il la boit lentement. Demain, beaucoup de gens seront énervés à cause du match. De bonnes recettes en perspective pour lui.

Mais il faut se concentrer sur le présent.

Fred effectue le trajet inverse pour quitter son garage, recréant derrière lui un chaos organisé. Dehors, il allume une cigarette. Ça l'aide à se concentrer. Il voit la cendre tomber à cause de son tremblement. La fureur qui l'a saisi ne le quitte pas. Ce grand con a osé couper la main d'une gamine !

Fred décide que le châtiment pour cet acte ignoble sera une double loi du talion : œil pour œil, et mains pour main. Plutôt que de le tuer, on doit à son tour lui sectionner les deux extrémités des bras. Il deviendra un manchot total pour expier sa faute. Fred sait qui contacter. Trois mois plus tôt, il a dérobé des papiers compromettants pour un voyou sans finesse, un certain Jack Hénian. L'homme est réputé pour sa méchanceté et un surnom s'est vite imposé pour le désigner : M. Haine. Je t'en dois une, lui avait lâché ce dernier en guise de récompense. Le moment est venu de lui faire payer ses dettes. Le malfrat appartient à un gang de brutes qui rackette les établissements œuvrant la nuit. Des truands sans foi ni loi, armés jusqu'aux dents et prompts à frapper, prenant un malin plaisir à terroriser les faibles.

Fred connaît le point sensible qui les fera rugir autant que lui. Un bourreau d'enfants ne mérite aucune indulgence.

Le grand reviendra forcément au bar pour récupérer sa main. Il suffira alors de le désigner aux bras vengeurs de Haine et de ses complices.

En attendant, cette affaire risque de le fragiliser en lui occupant trop l'esprit. Ses recettes de demain vont sûrement s'en ressentir. Il faut donc régler ce problème au plus pressant.

Il sait où trouver Jack Hénian.

Six

Nounours transpire en abondance. Ça dégouline. L'effort est énorme, après tous ces litres de bière. Il a hâte d'arriver. Il a une terrible envie de pisser, mais refuse de s'arrêter pour se soulager. Il visualise son lit, tente de focaliser son esprit sur ce but. Il se perd, se repère, repart.

Pourquoi a-t-il été s'enivrer dans ce bouge ? Décidément, l'oisiveté ne lui réussit pas.

Le géant remonte la pente depuis le fleuve. Il faut dépasser le grand boulevard, direction nord. Il se rapproche.

Dieu soit loué, il l'a, elle. Nounours n'est plus un solitaire, Nounours a une amie. Non, gros débile, reprends-toi, il n'y a personne avec toi. Il se parle à lui-même. On ne se marie pas avec une main. Tu dois t'en débarrasser. Jette-la maintenant ! Envoie-la dans ce terrain vague où elle sera dévorée par des rats. Enfouis-la au fond de cette poubelle qui sera ramassée à l'aube.

Ça semble facile, mais…

Il sait qu'il ne vient pas de rencontrer la femme de sa vie. Pourtant, c'est plus fort que lui, il se sent moins seul. Il s'y accroche. Il s'y attache. Il décidera lorsqu'il sera parvenu à la maison. Il doit se concentrer sur le trajet. S'il pose un pied à terre, il devient suspect. S'il s'assied sur le trottoir, il risque de s'endormir.

Le mouvement le garde éveillé. Sa vessie va exploser. Plus tard, on verra plus tard. Les grosses semelles s'écrasent sur les pédales. Gauche, puis droite, puis gauche… L'air est frais. Ça aide.

Il reconnaît une quincaillerie. Il y a déjà acheté des vis pour réparer son placard de cuisine. Il brûle.

Le décor est redevenu familier. Nounours ralentit la cadence. Il a l'impression de franchir un col alpin. Au sommet, il ne dévalera pas la pente pour redescendre. Il s'arrêtera, il aura rejoint son refuge.

Là-bas, cette enseigne jaune qui clignote: Le Bombay Star. Enfin! On aperçoit des silhouettes à l'intérieur du restaurant. Le soleil n'est pas encore levé, mais les Indiens sont déjà à pied d'œuvre, nettoyant des chaudrons d'aubergines, râpant du gingembre frais, cuisant des chapatis.

Nounours rentre son vélo sous le porche. Il trouve

la force de l'attacher. En remettant la clé de l'antivol dans sa poche, il tapote machinalement son pantalon.

La main a disparu.

Son cœur reprend sa cadence panique. Où est-elle ? Elle a dû tomber pendant son voyage de retour. Il n'a rien senti. Il scrute la chaussée autour de lui, des fois que…

Sa poche est profonde. Elle n'est pas percée. Le sac n'aurait pas pu remonter, même à cause des mouvements. Bien sûr, il est soûl, mais il lui semble qu'il est demeuré conscient.

Difficile de se concentrer.

Et si c'était mieux ainsi ? De façon incompréhensible, le problème viendrait de trouver sa solution. La main gît dans un caniveau. Un chat la ramassera. La balayeuse l'avalera. Un caniche la portera à sa maîtresse. La police sera alertée. Les journalistes s'empareront de l'affaire. Ils y consacreront la une de leurs journaux. On cherchera à qui appartient ce morceau de corps. Le meurtrier sera démasqué. Tout rentrera dans l'ordre.

Malheureusement.

Nounours s'adresse à celle qu'il vient de perdre. Il lui avoue qu'il l'aime.

Il se soulage enfin dans les toilettes puis s'affale sur son matelas. Il voudrait réfléchir. Il aimerait se reposer. Une bouffée de coriandre traverse le plancher. Il voyage en odeurs, mélangeant le poulet tandoori et les doigts de fée à la fleur d'oranger. Oui, elle est une fée.

Il ferme les paupières. Soudain, il voit Fred. C'est lui ! Il la lui a volée ! Il n'aurait pas dû s'en approcher, ni le toucher. Ç'aura été un jeu d'enfant pour ce pourri. Fred l'a dépouillé de son précieux bien pendant que Nounours le soulevait dans les airs. Il n'a pas prêté attention à ses manipulations.

Le grand tente de se relever, mais la fatigue le cloue au sol. Où irait-il ? En plus d'être incapable de reprendre la route, il n'a aucune idée d'où il arrive. Comment s'appelait ce bar ? Le Régent, Le Doyen, Le Parrain ?

Il faudra chercher dans un annuaire. Le localiser, y retourner, coincer ce pickpocket de malheur, le cogner jusqu'à ce qu'il avoue. Ce Fred peut faire sa prière. Nounours va le massacrer, lui apprendre le respect à ce maudit frisé.

Il s'y rendra demain. Il doit garder l'avantage, miser sur l'effet de surprise, frapper le premier. Il sombre dans le sommeil en lançant ses énormes poings dans le vide. Gauche, droite, uppercut : tiens, prends ça !

De quoi se souviendra-t-il demain ? De tout ? De rien ?

Un peu des deux, comme un cocktail alcoolisé.

Le soleil a dépassé son zénith quand Nounours émerge de sa léthargie. Ses cheveux lui font mal. L'odeur de cari indique l'heure et le jour. Quand elle a ainsi envahi l'atmosphère, c'est que le cuisinier du week-end a pris la relève. Il y va fort sur les épices.

Nounours boit pour se nettoyer l'intérieur. Un litre d'eau disparaît dans son œsophage. Il incline le cou sous le robinet afin que le liquide lui coule sur le crâne. Il demeure ainsi plusieurs minutes. L'eau devient glaciale. Elle lui gèle le cuir chevelu. Il ferme le robinet, s'essuie la tête avec un vieux torchon qui pue la friture d'oignon et les sardines en boîte.

Il sort. Il faut bouger. Marcher, effectuer des moulinets avec ses bras, faire craquer ses jointures. Les mouvements permettront d'éliminer les toxines. Il en a des tonnes à supprimer.

Nounours achète le journal et s'installe au comptoir d'un restaurant. Il commande un grand café et une assiette du camionneur — assez copieuse pour nourrir une famille de quatre personnes.

Le quotidien consacre sa une aux bouchers fratricides : deux frères jumeaux qui se sont toujours détestés. Le journaliste les présente comme d'inséparables ennemis jurés. Un de leurs collègues à l'abattoir les décrit sans complaisance, insistant sur leurs fréquentes querelles, les engueulades dégénérant en bagarres. Venus en avance au boulot, ils se sont affrontés avant l'arrivée de l'équipe de désosseurs. On a trouvé des traces de mains ensanglantées jusqu'au plafond, dans les moindres recoins. On se demande comment ils ont réussi un tel bazar. Presque une œuvre d'art. Des Michel-Ange de l'hémoglobine.

Nounours songe au travail qui les attend. Les globules auront eu le temps de coaguler, de sécher, de s'incruster. Seront-ils assez de trois pour venir à bout de cette corvée ?

Les frères ont utilisé leurs outils de travail pour régler leur litige. Ils avaient leurs propres couteaux à dépecer, leurs couperets et leurs scies, toujours affûtés, admirablement entretenus.

Forcément, on a envie de s'en servir quand on possède une arme blanche. On ne se contente pas de la regarder, de l'utiliser sur des chairs mortes. L'action change tout. Sera-t-on aussi habile avec le tranchoir sur une proie mobile ? Les carcasses de gros mammifères, ça va un temps. Une lutte à mort avec celui qui a partagé notre existence depuis la première seconde, voilà qui relève d'un savoir-faire supérieur. Nounours cherche un autre indice. Les flics n'ont lâché que le minimum de renseignements.

Il existe sûrement un lien avec la main qu'il a trouvée. Qui l'a placée là : le boucher mort ou le survivant ?

Nounours saute à la section sports. Dix pages sont consacrées au match. Hystérie collective. Les pronostics sont biaisés par un parti pris évident pour l'équipe locale. Normal. Il faut choisir son camp. Plus délirante sera la victoire. Ou plus amère la défaite.

Le grand se sent faible. Il a vraiment exagéré sur la bière hier. Il devrait s'accorder une sieste. Ce soir, il doit surgir en territoire ennemi en pleine possession de ses moyens. Ce pickpocket de malheur va la sentir passer, sa raclée.

Page 12, l'annonce de la disparition d'une fillette attire son attention. La famille reste confiante. L'enfant est instable, elle vit mal la séparation récente de ses parents. Elle s'est confiée à une amie, lui avouant avoir pensé à se suicider pour ne plus voir sa mère pleurer. Elle reviendra certainement sous peu.

Vous la retrouverez en pièces détachées, bougonne Nounours. Pour reconstituer le puzzle, il va falloir de la patience. Et du flair. De la chance. Des tuyaux.

Nounours détient une pièce de ce casse-tête. Ou plutôt, il en possédait une.

Pour le moment, le géant est le coupable tout désigné. Il devrait aller à la police pour raconter ce qu'il a découvert. Ne pas se déplacer, cela revient à faire une rétention d'information dans une affaire d'enlèvement, de torture, de mutilation, de meurtre. Si on le découvre, son compte est bon. Il croupira en prison avec les vrais méchants.

Oui mais, qui serait capable de remonter jusqu'à lui ? Et pour quel motif ? Fred lui a volé sa main et il pourrait vouloir le faire chanter pour monnayer sa prise. Mais le frisé n'a pas intérêt à attirer l'attention. Il est fiché. La police l'a dans le collimateur.

Le grand doit se pointer au bar ce soir. Il y a un annuaire au Bombay Star.

On le salue à l'intérieur du restaurant. La stature du géant détonne auprès des frêles serveuses indiennes. Elles le regardent en riant. Il leur plaît. Il ressemble à une statue de Ganesh, le dieu obèse à tête d'éléphant. La divinité du savoir et de la vertu, porteuse de chance, que les Hindous prient avant d'entreprendre une action importante.

Il demande à consulter un annuaire des pages jaunes.

Il épluche la rubrique des débits de boissons. Bon sang, il ne se souvient plus du nom exact. Le quelque chose. La recherche est rapide. Il a le choix entre Le Doyen, 215 rue Émile-Starkovsky, et Le Douze, 84 bis rue Marcel-Bourdarias. Nounours note les deux adresses, remercie, sort. Comment dit-on merci en tamoul ?

Il s'arrête à la librairie voisine, achète un plan de la ville. Il remonte chez lui, la déplie sur le plancher. Nounours étudie la disposition des rues. Il connaît mal cette ville. Cette nuit, c'était la première fois qu'il s'éloignait de son quartier. Pourquoi s'aventurer ailleurs ? Il se sent en sécurité ici. Les habitants se côtoient et s'apprécient. Il est parti une fois pour atterrir dans ce coin, ça lui suffit.

Le grand n'a jamais entendu le nom des rues qu'il cherche. Logiquement, le bar devrait se situer dans la partie sud, près du fleuve. C'est imprécis. La rue Émile-Starkovsky coupe du nord au sud une zone à l'est, derrière un immense parc. Pour en revenir, il aurait fallu traverser cette bande verte. Cela ne lui rappelle rien. La rue Marcel-Bourdarias correspond mieux à ses souvenirs : une courte artère près du vieux pont. Ça colle.

Ce soir, il se pointera au Douze pour voir le match. Il boira peu, mais observera beaucoup. Il posera ses questions le moment venu aux gars les plus éméchés. L'alcool endort la méfiance, il est bien placé pour le savoir.

Il se relève, brandissant le plan à bout de bras. Il le plaque contre le mur, puis arrache des punaises qui retenaient le papier peint décollé et les plante aux quatre coins de la feuille. Avec un gros crayon rouge, il encercle les emplacements de son appartement et du Douze. Il réfléchit et trace une ligne droite entre les deux. Le plus court chemin d'un problème à sa résolution.

Sept

Fred a mal dormi. Le plus jeune fait ses dents, il a pleuré sans arrêt de minuit à l'aube. Vivement l'adolescence. L'insomnie a permis à son père de réfléchir à la situation.

Jack Hénian est briefé. Il a réagi tel que prévu. Fred l'a trouvé hier soir dans un petit restaurant italien ouvert jour et nuit.

M. Haine mangeait seul, ce qui est rare, car on le voit en permanence entouré d'une bande de gros bras dans son genre. D'abord, il a paru chercher depuis quand il devait un service au pickpocket. Lorsque celui-ci lui a raconté pour la main de la gamine, tout est revenu à sa mémoire. Fred a insisté sur les détails, dépeignant le géant comme un pédophile récidiviste. L'envie de cogner a excité Jack. Il a promis de venir ce soir au Douze.

Jack et Fred resteront discrets. Il y a une salle tranquille à l'arrière du bar, pour jouer aux cartes. Avec le match, l'endroit sera désert. Personne ne viendra les importuner.

Le voleur ne veut pas savoir comment le haineux procédera. Il a clairement spécifié que ça ne le regardait pas. Chacun sa partie. Tu ne me demandes pas comment je peux subtiliser son chéquier à un imbécile sur ses gardes. Je te laisse régler le problème à ta guise, a-t-il précisé. L'essentiel, c'est que chacun y trouve son compte et rende service à la collectivité.

La matinée s'achève. La journée sera longue avec si peu de sommeil dans le corps. Fred sourit. Il serait incapable de se reposer, tant il a hâte d'être à ce soir.

Il musarde devant chez lui. À sa demande, les enfants sont partis chez leurs grands-parents avec leur mère. Ils sont en lieu sûr là-bas, il peut se consacrer entièrement à ses urgences : le match et le géant.

Il devrait effectuer une virée en ville en fin d'après-midi. Se remplir les poches de petites coupures qui serviront à soûler les curieux ce soir. Fred hésite. Et si le grand décidait de venir plus tôt que prévu au bar ? Il ne connaît rien de ce type, même pas son nom. Il l'a surnommé « Grand Diable ». Peu importe, cette ordure n'en a plus pour longtemps à vivre dans l'anonymat. On verra bientôt son portrait et son identité en première page de tous les journaux et Fred retrouvera sa paix intérieure. Sans elle, il court à la faillite.

Une camionnette de livraison s'arrête un peu plus loin dans la rue. Deux types en bleu de travail en descendent sans se presser. L'un d'eux transporte une boîte à outils et l'autre un rouleau de câble électrique. Ils avancent derrière la grande haie de thuyas des voisins. Fred ne les voit pas s'approcher, mais il les entend.

Les gars discutent entre eux. Ils rient d'une remarque lancée par le plus jeune qui porte des lunettes aux montures en acier. Ils arrivent au niveau de la porte du petit jardin que la femme de Fred cultive avec amour. Ils l'ont presque dépassée, quand ils s'engouffrent soudain chez le frisé, se précipitent sur lui, montrent leurs revolvers et l'entraînent vers l'intérieur. L'action n'a duré que cinq secondes. Aucun témoin, c'est certain.

Fred n'a pas senti le danger venir. Pour lui, le risque se nomme Grand Diable. Qui sont ces deux lascars ? Ils ne viennent pas là pour discuter des prévisions boursières. Le petit aurait-il fait les poches d'un chef de gang sans s'en rendre compte ? Pourtant, il vérifie toujours l'identité de ses victimes avant de détruire les portefeuilles. Et s'il commet un impair, il se rattrape en remettant son larcin enrichi de quelques billets. Ça dissipe les doutes.

Les deux types l'envoient valdinguer dans le salon. Sa tempe heurte la table basse. Il manque de s'évanouir. À moitié sonné, il a du mal à raisonner. Une poigne solide le redresse sans peine et l'installe sur une chaise en rotin qui plie sous l'effort.

Ils cherchent la main. Ils lui demandent où elle se trouve. Ils accompagnent leur requête d'une pluie de coups.

Fred feint de ne pas comprendre ce qu'ils veulent. Ils se seraient trompés de maison, de voleur, de main. Une main de quoi, d'abord ?

Le plus âgé souffle d'impatience et balance un direct dans la mâchoire du pickpocket. Avec une gueule aussi tuméfiée, Fred ne pourra plus passer inaperçu. Impossible pour lui de travailler correctement avant deux semaines. Il ne faudrait pas qu'ils se défoulent sur lui.

La bouche en sang, les paupières explosées, il lève le bras pour indiquer qu'il aimerait prendre la parole. Les gars en profitent pour s'accorder une pause bien méritée et se détendre les muscles. Ils piochent dans son paquet de cigarettes.

Fred affirme qu'il a déjà eu cette main, en effet, mais qu'il ne l'a plus. Ça le dégoûtait trop. Quand il a vu qu'elle avait appartenu à une gamine, ça l'a déconcerté. C'est pour ça qu'il a fait appel à M. Haine. Le couple de lourdauds ne relève pas l'insinuation. Fred insiste, vantant avec ironie ce gars efficace, digne de confiance. Le plus jeune esquisse un sourire de connivence. Pour finir, Fred ose une question l'air de rien: mais à qui appartenait cette main ?

Un coup de botte dans le tibia provoque un hurlement immédiat du voleur menteur. On le somme de ne pas inverser les rôles. Il y a ceux qui posent les questions et ceux qui sont censés y répondre. Fred devrait le savoir. Le jeune binoclard joue les vieux durs.

Fred reconnaît qu'ils sont entre gentlemen. Il dit qu'il a laissé la main dans la ruelle derrière le bar. Le Douze ? Ouais, Le Douze. Ensuite, il a vomi.

Les trois hommes repartent en voiture, afin de vérifier sur place.

Les rues sont animées. Les gens se promènent avec les drapeaux de l'équipe, les coups de klaxon n'arrêtent pas. On se croirait le jour de la Libération. Il faut bien évacuer le stress accumulé durant l'année.

Le jeune homme aux lunettes conduit avec précaution. Il respecte la signalisation, roule à faible vitesse, ne montre aucun signe de rage au volant.

Partout des draps et des nappes rouges pendent aux balcons. Ça crée un décor sanguinolent.

Ils arrivent bientôt. Le Douze est dans le secteur de Fred, à huit pâtés de maisons de sa résidence. Le gars se gare en face du bar. Ici, on ne cherche pas à se cacher. Encadrant Fred de chaque côté, ils longent la bâtisse. Le pickpocket frissonne. Il se revoit la veille, découvrant cette main tranchée.

Fred désigne un dépotoir improvisé. Il a lancé la main là-dedans. Les types grimacent de dégoût. Bon sang, ça empeste. Il indique une tache en face de la sortie de secours : c'est ici qu'il a régurgité ses tripes. On le croit, on ne va pas analyser cette vomissure.

Allez, petit con, retrouve-la. Une bourrade le catapulte en haut du tas d'immondices.

Il faut chercher, montrer qu'il a dit la vérité. C'est gluant, ranci, malsain. Agir avec doigté, Fred sait le faire. Ne pas massacrer ses phalanges en les tailladant avec un tesson. Se méfier des seringues usagées, des capotes dégoulinantes et des rats affamés. Le pickpocket s'applique, même s'il a l'air de se dépêcher.

Les gars s'impatientent. Ils râlent. À quoi bon ? Aucun des deux ne veut participer à la sale besogne. Ils insultent Fred, le traitent de fouille-merde. Ils gloussent, s'allument des cigarillos, crachent par terre, vérifient que personne ne s'avise de déranger leur esclave chercheur de trésor.

Fred étale ce qu'il trouve, méthodiquement. Il lance sur les pavés tout ce qu'il saisit. Ainsi, les deux imbéciles peuvent constater qu'il ne leur dissimule rien. Plus ça va, plus l'amas d'ordures diminue, et plus on plonge dans le spongieux. Les restants de sandwichs sont là depuis des lunes, semble-t-il.

Une heure durant, les détritus sont répandus. Il faut se rendre à l'évidence: la main n'y est plus. Fred se relève.

Les gars paraissent accablés. Ils ont failli à leur contrat. Pas bon pour l'avancement. Mais comment retrouver une main jetée dans la nature? Un chien affamé aura été attiré par l'odeur de la viande. À y penser, ils ont un haut-le-cœur. Ils plantent Fred là, couvert de saleté et la gueule boursouflée. Tu ne perds rien pour attendre, petit merdeux, on se retrouvera.

Fred songe à Jack Hénian. Ce crétin de M. Haine est allé bavasser au sujet du salaud coupeur d'enfants. Il l'a vendu. Il ne s'en sortira pas sans égratignures.

Huit

Nounours s'impatiente. Le soleil brille trop fort pour descendre vers le fleuve. Il arrivera tard au Douze, se fondra dans le troupeau déchaîné.

Il traîne en face du frigo, louchant vers l'aimant avec son ours assis sur un logo. Il n'aurait pas un peu bougé ? Hier, il était plus haut, moins croche. Nounours ouvre doucement le congélateur. Et si la main était revenue seule dans son refuge réfrigéré ? Il n'y a là que des bacs à glaçons vides. Nounours se frotte le visage, tentant d'effacer ses pensées bizarres. Il perd la tête. Le voici mélancolique.

Une sonnerie retentit dans la pièce principale. Le téléphone ? Il avait oublié qu'un tel instrument se trouvait dans son appartement. Il a pris l'abonnement en emménageant et les paiements des factures sont prélevés directement sur son compte. La dernière fois qu'on l'a appelé, un vieil homme à l'accent incompréhensible tentait de lui vendre une cassette pour suivre des cours de gymnastique à domicile. Dans le confort douillet de votre intérieur, avait-il précisé.

Nounours décroche le combiné, sur ses gardes. Il chuchote un bref « allô ». M. Darfeuille junior, le fils du patron de l'abattoir, se présente rapidement. Il faudra venir tôt dimanche pour nettoyer le labo et les vestiaires. Quel capharnaüm. La police n'a pas fini son enquête. Des agents surveilleront leur besogne, au cas où ils découvriraient quelque chose qui aurait échappé aux enquêteurs. Junior sera là, promis. Nounours apaise son patron : il se pointera à l'heure. Manuella est prévenue, mais impossible de contacter Georges. Nounours sait-il où joindre le jeune Noir ? Désolé, il l'ignore.

Bon, ça commence à durer longtemps cette conversation. Surtout quand d'ordinaire, on se contente d'échanger un salut-bonjour les jours de paie. Le chef s'exprime avec tellement d'amabilité que ça en devient louche. Que craint-il ?

Il se peut que la police questionne Nounours. Rien d'inquiétant : ils interrogent ceux qui ont eu un rapport proche ou lointain avec le meurtre. Il doit se montrer coopératif. Est-ce clair ? La réputation de l'établissement familial a déjà été suffisamment ternie. Inutile d'attirer davantage l'attention.

Nounours rassure le futur héritier, puis raccroche.

Le voilà avec de la pression en plus. Il songe à Georges, les deux oreilles enfouies sous son énorme casque. Darfeuille fils peut appeler des dizaines de fois, aucune sonnerie ne percera l'écran de sons et de paroles braillées: *OUSKEU MATIINOOO OUI NIED IOU.*

Nounours retourne au plan épinglé sur le mur. Il repère son lieu de travail et l'encercle en vermillon. Il relie le rond autour de son logement avec celui de l'abattoir. Un début d'étoile se dessine. Son logis est au centre.

Il faut s'occuper.

Il va chercher des ciseaux dans le tiroir de la cuisine et découpe les deux articles du journal: celui avec la photo extérieure du lieu du crime et le petit où il est question de la disparition d'une fillette. En relisant l'entrefilet, il relève le coin de rue où habite la disparue. Il l'entoure d'un grand ovale dont l'une des extrémités frôle la localisation de l'abattoir. Un court trait rouge les unit alors.

Voilà un indice supplémentaire. Les détectives sont de grands garçons. Ils feront le rapprochement sans qu'on soit obligé de leur mettre les points sur les *i*. Nounours a promis de ne pas noircir l'image de l'établissement Darfeuille, mais s'il met la police sur la piste des ravisseurs, ce sera pour le bénéfice de la communauté. Ça rejaillira finalement sur Junior.

Ce soir, Nounours va récupérer son trésor. Fred regrettera de lui avoir vidé les poches, d'avoir subtilisé cette merveille.

Le colosse tourne le dos à son raisonnement. Il décide d'effectuer une virée de santé pour éviter de sombrer dans son chagrin.

Il claque la porte. Le voici dehors.

Il marche au hasard, l'objet de sa quête flottant devant lui. Hier, il associait son comportement à celui d'un déviant. Un homme ne peut pas s'attacher à un bout de membre. Aujourd'hui, tout a changé. Un gredin lui a volé son bien le plus précieux. Il a abusé de sa détresse, de sa faiblesse, de son état pitoyable.

Neuf

Fred contemple un instant ses paumes rougies. Elles sont crasseuses mais intactes, ce qui importe plus que tout. Le sillon de sa ligne de vie disparaît sous la saleté. Faut-il y lire un signe ?

Le pickpocket ferme lentement ses doigts, puis les rouvre. Il effectue ce mouvement plusieurs fois. Il retrouve sa dextérité. Il s'apaise.

Il doit modifier le plan d'action de ce soir. Pour le moment, pas question d'entrer au Douze. Il retourne chez lui en rasant les murs, la tête enfoncée dans les épaules.

Devant son miroir, Fred examine maintenant sa figure. Ça sent le chômage technique. Son œil gauche a viré au noir de jais. En dessous, une longue estafilade lui barre la joue. Il ressemble à un boxeur en pleine défaite. Ses lèvres sont boursouflées. Du sang a séché sur son menton.

Il nettoie les dégâts, masque ce qu'il peut avec du fond de teint trouvé dans l'armoire de toilette au rayon de madame. De larges lunettes de soleil finissent de dissimuler le problème.

Le futur manque à gagner que va entraîner sa gueule cassée devra être compensé par la vente de la main. Un tel déploiement de moyens de la part des gros bras implique une pressante envie de récupérer la chose. Quelqu'un craint que cette main ne s'égare.

Précaution d'usage, Fred utilise un téléphone cellulaire dérobé deux jours plus tôt. Premier appel afin de localiser M. Haine. Il n'est pas à son quartier général, au restaurant italien. On ne l'a pas vu au billard, ni au Douze, pas plus qu'au garage où travaille son beau-frère. Il va falloir se déplacer, le traquer chez lui ou chez sa mère.

Fred sort et inspecte de loin les alentours. Tout semble en ordre. Il est tenté d'aller vérifier que la main est toujours au frais, mais il se méfie. Un espion pourrait être planqué dans les parages, chez un voisin. Inutile d'attirer l'attention.

Le soleil est douloureux pour son œil poché. Même avec les verres fumés, il doit le fermer pour éviter ces coups de lame jusqu'au nerf optique. Son champ de vision s'en trouve largement réduit.

Fred ne voit pas le pick-up rouge qui s'approche au ralenti. Le véhicule s'immobilise devant lui au moment où il allait s'engager sur la chaussée. Fred sursaute, surpris par la camionnette, étonné de ne pas l'avoir entendue venir.

Au volant, un homme l'invite d'un léger mouvement de l'index à s'installer sur la banquette avant. Il s'agit de Jack Hénian.

Fred serre les dents. Depuis quand M. Haine se permet-il de lui donner des ordres ? Il va vite comprendre qu'on ne se moque pas de lui.

Le pickpocket grimpe dans l'auto qui démarre aussitôt.

Il aboie contre le conducteur, espérant que celui-ci a une bonne explication à fournir. Tu m'as trahi, tu m'as donné, t'as intérêt à te racheter. Ces connards m'ont défiguré, crie-t-il. Tu n'es qu'un maudit bavasseur, une balance !

Fred paraît minuscule à côté du chauffeur qui a le physique adapté à son surnom. Pourtant, malgré les injures, la masse musculaire de ce dernier demeure inerte.

Jack garde la tête droite, tournée vers la route.

Après un bref silence, il prononce un seul mot en articulant chaque syllabe : Im-par-faits.

Quoi, imparfait ? Fred trépigne sur son siège. Je le sais que t'es loin de la perfection. La terre entière le sait. Tu n'as pas besoin de me le rappeler, abruti, rétorque le pickpocket.

Jack Hénian laisse passer le grain, puis il précise : les Imparfaits.

L'ajout de l'article défini au masculin pluriel transforme l'attitude de Fred. Il se fige, se tasse contre le dossier.

Son ton s'est radouci quand il demande si ce sont les Imparfaits qui sont derrière tout ça. Les deux gars qui l'ont forcé à ramasser la merde derrière Le Douze en feraient partie ? Et qu'est-ce qui a pris M. Haine de donner Fred à ces malades ? Je croyais que tu travaillais en solo, que tu n'avais de comptes à rendre à personne, argumente le petit assis à la place du mort.

Jack hausse les épaules avant d'avancer son explication : ça n'existe plus les agents solo. C'est du passé. Il faut choisir son camp et ses alliés. Question de survie. Lui ne fait plus rien sans les avertir. S'ils apprenaient qu'il joue dans leur dos, il serait un homme mort. Hénian contemple la route devant lui. Il s'exprime durement. Il a capitulé face à plus coriace. C'est la loi des prédateurs, voilà tout. Rien de nouveau sur la planète Terre.

Fred se sent soudain très seul. Pourquoi M. Haine ne l'a-t-il pas prévenu la veille ? La voix derrière le volant répond que le frisé travaille trop dans son coin, qu'il est déconnecté. Son manque d'infos sur les truands qui contrôlent la ville l'a mis en danger. Mais Fred croit qu'il tient encore le gros bout du bâton : il a la main. Ces chacals vont payer.

Jack devine les pensées du pickpocket. Il l'exhorte à rendre ce qui ne lui appartient pas. Il a lancé ça d'une voix blanche. On dirait que son surnom vient de perdre son sens. La haine s'est transformée en servilité. La brute a courbé l'échine. Il achève son discours en prévenant Fred qu'il n'ira pas casser la gueule de Grand Diable. D'autres s'en chargeront.

Là, c'en est trop. Fred réagit. Il cogne aussi fort qu'il peut sur le tableau de bord. Tu m'en dois une ! Tu m'en dois deux, même ! Tu t'es engagé, j'ai ta parole. Il crie qu'il n'a plus cette main, qu'il l'a balancée aux poubelles.

Jack Hénian demeure de marbre. Désolé, mais je ne te dois plus rien. Si tu as des réclamations, tu les adresses à Sergent. C'est ainsi qu'on appelle le chef des Imparfaits. On prononce son nom avec respect, avec angoisse.

Fred ne peut plus rien ajouter. Le débat est clos. Le pick-up freine, de retour à son point de départ. M. Haine précise que cette discussion n'a jamais eu lieu. Il a agi par amitié, en souvenir du temps passé.

Tu parles !

Il s'est fait du crédit sur son dos, voilà la vérité. Fred descend, claque la portière. Il affirme qu'il s'en souviendra. Tu m'en dois deux et tu vas me les rembourser, Sergent ou pas.

L'affaire vient de prendre des proportions inquiétantes. Le pickpocket se retrouve dangereusement isolé.

L'organisation des Imparfaits étend son contrôle partout. Ils tiennent la ville.

Fred regarde son garage. Il devrait peut-être cesser de faire cavalier seul, rentrer dans le rang. Sergent est puissant, mais Sergent est riche aussi. Fred sourit. Il va y arriver. Il est toujours parvenu à ses fins. À sa manière. À l'ancienne. En solo.

Dix

Les clients du Douze sont venus tôt pour réserver un siège face au grand écran loué pour l'occasion. On joue des coudes, on plaisante. On boit en quantité phénoménale.

Les gars ont enfilé leurs maillots rouges afin d'encourager leur équipe. Un épais nuage de fumée dissimule déjà le plafond, descendant lentement, un peu plus à chaque bouffée expirée. Les serveurs se faufilent avec leurs plateaux remplis de chopes ambrées.

Un gars entonne l'hymne du club, mais ses voisins ne le suivent pas. Plus tard, on aura mille occasions de hurler les paroles sacrées.

Nounours se pointe. Il se fraie un chemin jusqu'au comptoir, sans se presser, puis se glisse entre deux types pour s'accouder au zinc. Il commande une grande bière. La tension est palpable ici. Le géant se retourne vers la salle, inspecte les lieux, les visages. Il reconnaît quelques habitués qui picolaient là hier. Il faut se fondre dans le décor, devenir un caméléon. Nounours ne porte pas de vêtements carmin, la couleur dominante ce soir, il a enfilé un chandail et un pantalon gris, usagés, neutres. Une tenue d'observateur, même s'il aurait préféré suivre le match d'une façon identique à celle des milliers de supporteurs. Le football fait office de religion pour ses fidèles excités. Les stars du ballon rond sont leurs prophètes.

Le grand trempe ses lèvres dans la mousse, boit à peine, déguste l'amertume. Il doit se ménager. Quand il aura dévissé le crâne de Fred et que sa main chérie sera revenue dans son foyer qui sent le cari, là seulement il s'accordera une période de réjouissance. Pour parvenir à ses fins, il faut savoir modérer ses ardeurs. Ce n'est pourtant pas l'envie qui lui manque de siffler un pichet en entier afin de se mettre dans l'ambiance festive.

Contre le mur de droite, sous un grand miroir où l'on a inscrit les résultats du club depuis le début du championnat, se tiennent les deux dangereux qui sont venus frotter les oreilles de Fred. D'un mouvement de sourcils qui remue ses lunettes, le jeune indique à son acolyte l'arrivée de Nounours. Le nouveau venu ne passe pas inaperçu avec son gabarit hors norme. Même si le corps est vêtu de couleur anthracite pour se faire oublier, sa tête dépasse toutes les autres. Un phare se repère de loin.

Ça ressemble à notre gros épais, avance le plus âgé. L'autre bat la mesure sur la table en esquissant un mauvais sourire. Les deux Imparfaits ont échoué dans leur mission de ce matin. Ils n'ont rien rapporté à leur patron. Sergent était furieux. Ils ont maintenant une obligation de réussite. Où le grand a-t-il trouvé la main ? D'où sort cet inconnu ? Pour qui travaille-t-il ? Sergent a même suggéré de le recruter.

Une idée qui n'a pas plu aux deux brutes. Ils sont déjà assez nombreux à se partager la galette. Ils vont lui faire avaler son acte de naissance à cet escogriffe.

Ils l'observent. Nounours ne les remarque pas. Lui, il cherche le pickpocket court sur pattes. Il va patienter jusqu'à la première mi-temps et si Fred ne se présente pas, il entamera son enquête. Les gars seront tous passablement soûls à cette étape.

Une clameur retentit. On voit le portrait de la femme du capitaine de l'équipe remplir l'écran. Elle est installée dans la tribune officielle du stade rempli à craquer. Une femme superbe, refaite de partout, sans aucun faux pli. Des feux de Bengale rouges s'enflamment sur le terrain. Les pompiers de service se précipitent pour les éteindre.

Dans le bar, les cris sont déjà retombés. On continue à boire. Nounours se retient pour ne pas vider son verre d'un trait. Quoique, ce n'est pas une bière, voire deux, qui lui couperont les jambes. Il a du coffre. L'alcool se diluera dans la masse.

Fred n'en rate pas une miette. Tapi dans l'arrière-salle, il scrute ses ennemis. Grand Diable est revenu tel que prévu. Il le voit qui fouille la salle des yeux en faisant mine de siroter sa blonde. C'est lui qu'il traque, mais cet enfoiré va se heurter à plus fort. Que peuvent deux grosses paluches face à des revolvers ? Fred regarde maintenant les gars de Sergent. Ils vont trouver à qui parler. Fred n'interviendra pas, il est ici pour compter les points, sans parti pris.

S'ils réussissent à faire cracher le morceau au géant, apprendront-ils qui est la propriétaire de la petite main ? Ces dégénérés doivent déjà être au courant. Ils sont venus pour éliminer un témoin gênant. Mais pourquoi veulent-ils récupérer la main ? Espèrent-ils réussir une greffe ?

Fred commence à changer d'avis. Un doute s'immisce dans son esprit. Si les Imparfaits veulent posséder le bout de la fillette, c'est qu'ils savent d'où il vient. Et donc qui l'a coupé. Par contre, ils ne semblent pas connaître Nounours. Comme si le grand débile avait débarqué dans l'histoire malgré lui. Sauf qu'un innocent ne se promène pas avec une main d'enfant sur lui. Il revient encore moins la chercher quand on la lui a dérobée, excepté s'il est fou à lier. Se pourrait-il qu'il l'ait achetée ? Grand Diable serait une sorte de fétichiste. C'est envisageable.

Dans le bar, soudain, c'est la bagarre générale.

Un imbécile habillé en jaune a glapi des injures à l'encontre du club local, traitant leur meilleur attaquant de poule mouillée. Un kamikaze suicidaire ou un masochiste en phase terminale ? À coup sûr, sa femme le trompe avec un partisan d'ici.

Le type a tenté de sortir, mais il avait à peine fait un pas qu'il recevait un tabouret en pleine figure. Les hommes en rouge ont cru à une trahison. Quant aux autres, en jaune, vert, noir, blanc ou brun, ils ont répliqué pour montrer leur attachement solide à l'équipe de la ville. Ils ont prouvé leur bonne foi en employant toutes les ressources disponibles : poings, pieds, genoux, coudes et tête. Alouette.

Il restait dix minutes avant le coup d'envoi et il fallait bien occuper ce temps mort. À qui cette joue tendue ? Paf ! Tu n'aimes pas notre équipe ? Mais si. Trop tard. Pif ! Sale chien.

Nounours a profité de la cohue pour se déplacer dans le bar. Si Fred se terre ici, il le débusquera. Esquivant les coups qui pleuvaient çà et là, il a inspecté chaque recoin du Douze. Rien à signaler.

Déjà, on sent que l'ardeur au combat diminue. Les gars s'économisent. La soirée débute à peine. Les clients gardent un œil sur la télé. La bataille durera tant que la pelouse verte n'aura pas envahi la télévision.

Le géant remarque alors deux personnages qui ne le quittent pas des yeux. Ils se tiennent à l'écart, les bras sous la table, semblant prêts à brandir un engin de mort à douze coups.

Nounours croise leurs regards trois fois de suite. Ces deux-là sont venus pour nuire. Pas de doute possible. Mais que lui veulent-ils ?

Personne ne paraît les voir. Ils sont invisibles aux bagarreurs qui les évitent, les ignorent. Le couple appartient à une caste intouchable, ou alors ce sont des truands notoires.

Nounours hésite. Il soulève un avorton qui lui barre mollement le passage et l'envoie promener au-dessus des tables. Il veut signifier que rien ne peut le stopper, ni même le ralentir. Il ira jusqu'au bout.

Va-t-il leur parler directement ?

Le géant ne doit pas se laisser dévier de son but. Trouver Fred et lui raboter la couenne jusqu'à ce qu'il lui rende son bien le plus précieux. Ce sale voleur n'est qu'un pouilleux, un fourbe irrespectueux. Et s'il avait averti la police ? Les deux types seraient des flics en civil ? Ça expliquerait pourquoi on les laisse en paix. Ces policiers n'ont pas l'air très pressés de rétablir l'ordre. Tout reste envisageable.

Il se réfugie dans un coin plus calme à l'extrémité du comptoir. Une surface d'à peine un mètre carré, juste derrière un pilier. L'endroit parfait pour picoler sans que personne ne vous dérange. Les deux gars se tordent le cou et continuent de le dévisager.

Nounours hèle le barman qui semble trouver la bagarre mortellement ennuyeuse. Il bâille, se cure les dents avec une allumette, surveille l'heure sur sa montre. Vivement que le match commence pour que les affaires puissent reprendre. Ils auront la gorge sèche après ces efforts. L'exercice physique déshydrate les tissus, c'est connu. Le grand commande un verre d'alcool de prune. Il a besoin de se remettre d'aplomb. Cul sec, le coude en l'air, les yeux qui piquent. Ça requinque le petit personnel.

Hier, il décollait le frisé du plancher. La main orpheline changeait de poche. Mais où se cache le petit voleur ? Il ne viendra peut-être pas. Il l'a balancé aux policiers et s'apprête à suivre la rencontre du siècle sur le canapé familial. Nounours se serait jeté dans la gueule du loup. Que va-t-il leur dire pour la main ? Il niera.

Quand il repose son verre, Nounours sent une ombre près de lui. Les deux malfaisants se sont approchés. Il est coincé dans ce réduit. Il aura du mal à se défendre. Une clameur couvre soudain le brouhaha général. L'équipe des rouges vient de fouler le sol du stade. Les clients rejoignent leur place.

Nounours aperçoit la crosse d'un revolver glissé dans la ceinture, à moins d'un mètre de lui. Le plus jeune de ses assaillants a écarté un pan de sa veste, puis l'a replacé, ni vu ni connu. Il arbore maintenant un rictus narquois en guise de sourire. Il aimerait tirer, ça se voit, ça le démange. Il en jouirait. Le plus âgé s'assure que Nounours a noté la présence de l'arme, puis il lâche une courte question concernant la provenance de la main.

Bien sûr, tout le monde en ville court après elle. Eux savent qu'il ne l'a plus. Inutile de feindre l'incompréhension. Il serait plus intéressant de tenter un échange de renseignements.

S'ils lui disent où elle se trouve, Nounours s'engage à leur raconter où il l'a ramassée. Donnant, donnant. À vous de commencer. Vous êtes qui ? Vous travaillez pour qui ? L'alcool ajoute une dose d'inconscience à sa détermination. Les durs renâclent.

La clameur s'intensifie. Le match va débuter d'une seconde à l'autre. Le jeune caresse son pistolet. Il lui fait comprendre qu'il pourrait descendre là le géant, personne n'entendrait rien, ne verrait rien, ne dirait rien. Où as-tu trouvé cette main, gros malin ?

Il ne faut pas tenter le diable. Dans chaque métier, des professionnels se font remarquer par leur excès de zèle. Ils gravissent les échelons trois par trois, avides de réussite ou de pouvoir. Les dirigeants d'entreprise exploitent cette ambition. Nounours a un duo de ces arrivistes impatients devant lui. Pour percer dans la vie, ils tueraient femmes et enfants, y compris les leurs.

Onze

Nounours bondit. Il profite de cet éclair de stupeur qui a fragmenté l'espace et suspendu le temps. Les regards ont convergé vers l'écran où l'équipe des jaunes venait de marquer son premier but après trois minuscules minutes de jeu. Les deux Imparfaits n'ont pu s'empêcher d'agir de même.

Nounours jaillit de son recoin, détournant l'arme du jeune, assommant le plus âgé et le rabattant sur son collègue. Il plonge sur le sol, se relève en même temps que se mettent à hurler tous les supporteurs en rouge. L'assemblée est impuissante face à ce coup terrible porté au moral, à la fierté, à l'honneur.

Ça donne un répit au colosse. Les gens sont figés. Il se déplace, s'échappe. Il s'est arraché des griffes des tueurs.

Nounours enjambe soudainement un tabouret et

disparaît sous un rideau de velours. Il amortit sa chute avec une souplesse étonnante, se redresse. Il découvre Fred qui ne l'a pas vu arriver. Le frisé amorce un geste. Le grand lui empoigne un bras, le tord jusqu'à le rompre en lui appuyant son index sur la bouche. Chut !

Le géant a tout décodé en un millième de seconde : le but adverse, le lourd tissu qui remue, l'attention détournée de ses agresseurs. Il fallait réagir vite. Maintenant, les cartes sont redistribuées. Il tient le pickpocket.

Nounours observe la salle. La partie a repris. Les gars en rouge sont furieux. Ils commandent à boire, veulent noyer leur chagrin.

Le jeune malfrat à lunettes traverse le champ de vision de Nounours. Il serre les dents, s'élance vers la sortie. Il revient peu après, relève le plus vieux, lui murmure quelque chose à l'oreille. Le coup de poing a passablement sonné son compagnon.

Les deux Imparfaits palabrent. Ils semblent déconfits. Que s'est-il passé ? Comment ont-ils pu se laisser surprendre par cet énergumène ? Il va payer, le gros malin.

Fred fait signe qu'il veut parler. Nounours ne bronche pas. Le frisé l'implore du regard. Il indique une porte au fond de la pièce où ils se trouvent.

Nounours reste inflexible. Ce con espère qu'il va se sauver en le laissant là ? Il rêve tout éveillé, ce trou du cul. Mais le petit insiste. Sans quitter la salle des yeux, Nounours desserre sa main qui bâillonne le pickpocket. Filons ensemble, chuchote ce dernier en continuant de montrer l'issue de secours.

Le grand répond qu'il veut la main. Fred est surpris par le ton du géant. Il paraît si doux. Il n'a pas la voix d'un tueur, plutôt celle… d'un amoureux transi.

Une discussion s'amorce entre les deux hommes planqués. Ils se parlent sans se regarder, la bouche en coin, articulant à peine, l'œil rivé sur les gars de Sergent qui se dirigent vers la sortie après avoir inspecté le dessous des tables. Où est la main ? demande Nounours. D'où vient-elle ? répond Fred. Rends-la-moi, dit l'un. À qui est-ce ? rétorque l'autre. Les répliques s'enchaînent à un rythme accéléré. J'y suis attaché, lance Nounours. Elle vaut cher, réplique le pickpocket. Et ça repart. Qui sont ces gars ? Des tueurs. Tu les as prévenus ? Non, pas moi. Je ne te crois pas. Ils travaillent pour les Imparfaits. Je veux ma main. Elle n'est pas à toi, dit Fred. Je l'ai trouvée, elle m'appartient, achève Nounours.

Silence. Les deux bandits semblent partis pour de bon. Nounours entoure le cou de Fred pour l'étrangler. Je veux cette main, elle m'appartient, répète-t-il.

Fred est à deux doigts de perdre connaissance. Il lève le pouce pour demander une trêve. Nounours relâche sa prise. Le pickpocket reprend son souffle.

Nounours lui ordonne de laisser ses bras derrière son dos. Il le traite encore de sale voleur.

Fred a du mal à respirer. Il s'exprime par bribes de phrases. Il explique qu'ils doivent quitter cet endroit, chacun de leur côté. Il promet de rendre la main à Nounours quand il aura obtenu son fric. Il faut partir discrètement, puis se retrouver plus tard. Le frisé bafouille sa propre adresse au géant sans réfléchir. Jamais il n'aurait cru s'exposer de la sorte. C'est que le grand lui inspire soudainement confiance. Ce gars n'a jamais coupé une main, c'est écrit sur sa figure.

Soûl, le colosse passait pour un type louche. À jeun ou presque, il ressemble à un gamin, se livrant franchement, sans détour. Fred veut en tirer le maximum d'informations. Il y a un tas d'argent à gagner. Le gros lot ne se présente pas tous les jours dans votre cour.

Nounours demeure sur ses gardes. Ce malin est un filou qualifié, habile à manipuler ses semblables. Qu'est-ce qui prouve qu'il détient encore la main ?

Douze

Manuella piétine devant l'entrée du personnel. Son anxiété la fait parler toute seule. Elle grommelle des groupes de mots inintelligibles, se calme un instant, puis reprend son monologue décousu.

Nounours attache son vélo à sa place habituelle. Une voiture de police est stationnée près du quai de débarquement. Le grand interroge la femme du regard. Y aurait-il du nouveau ? On le saura bientôt.

Georges n'est pas encore apparu, mais ça lui arrive d'être légèrement en retard. Manuella a peur de ce qui les attend à l'intérieur. Elle raconte que Darfeuille junior l'a harcelée au téléphone. Il voulait absolument rejoindre le jeune Noir, comme s'il craignait de devoir accomplir l'abjecte besogne à sa place. Elle croit qu'ils ont fini par le dénicher, grâce à un cousin qui bosse dans un autre abattoir.

Ils rentrent. Les lieux sont silencieux. Dans les vestiaires, leur patron discute avec un flic. Il n'y a pas de temps à perdre. Georges va les rejoindre, il est en route.

Darfeuille junior explique que ça doit briller comme un sou neuf. Les enquêteurs ont pris des notes, ils ont photographié l'abattoir sous tous les angles, prélevé des dizaines d'échantillons et d'empreintes. On n'espère plus trouver d'indices. Maintenant il faut récurer, effacer les traces où qu'elles soient, rendre l'espace sain et opérationnel. Allez, pas une seconde à perdre. Il claque dans ses mains blanches d'héritier malingre. Il espère quoi, le nanti ? Se tourner les pouces pendant que ses employés transpirent ? Jouer à l'inspecteur des travaux finis ? Ça changerait des semaines ordinaires où il ne se déplace jamais. Trop fatigant. Il paraît qu'il flambe des fortunes au jeu.

Le flic se racle la gorge et lève le bras pour attirer leur attention. Quoi encore ? Ses hommes ont inspecté les lieux avec application, mais si jamais les nettoyeurs découvrent quoi que ce soit d'inhabituel en effectuant leur ménage, qu'ils lui en fassent part. Il va demeurer ici pour le restant de la soirée. Bonne chance, ajoute-t-il avec bienveillance.

Cette fois, il faut s'y mettre. Manuella se tasse derrière Nounours. Ils agrippent seaux, produits à récurer, balais et ainsi armés, pénètrent dans le laboratoire de découpe, s'attendant à une vision d'horreur. Rien de terrible à première vue. Oui, les marques de sang sont plus hautes que d'habitude et on peut reconnaître çà et là des empreintes de doigts, mais ce n'est pas si impressionnant. L'hémoglobine humaine séchée diffère peu de son équivalent animal. Les deux sont aussi tenaces, aussi dures à éliminer.

L'odeur acide leur saute à la gorge. Atroce. Les rebuts de carcasses sont restés là pendant deux jours. Les traces sur le sol laissent supposer qu'on a vidé chacune des poubelles pour en inspecter le contenu, puis qu'on les a de nouveau remplies dans le désordre. Savaient-ils seulement ce qu'ils cherchaient ?

Maintenant, Nounours doit virer cette saloperie dans les conteneurs.

Il pense encore à la main. Vingt-quatre heures avant l'affaire des bouchers fratricides, elle était ici. Précisément. Bon sang, ce stupide assassin n'avait eu que ce qu'il méritait.

Qui sait si le coupable a succombé ? Le survivant peut aussi bien être l'auteur de ce méfait. Trop tôt pour le savoir.

Nounours empoigne la poubelle la plus éloignée de la sortie et l'emporte à l'extérieur pour la vider. Il préfère procéder une à la fois. La nuit a été courte, il n'a pas envie de ramasser un monceau de déchets à moitié décomposés. Il respire par la bouche afin de réduire la quantité d'air inhalé. La pestilence augmente d'un degré lorsqu'il remue le contenant vert.

Dehors, il voit le flic qui somnole dans sa voiture, dossier incliné. Au bout du quai, Darfeuille fume une cigarette en parlant dans son cellulaire. Il tourne en rond pour ne pas s'éloigner de la lueur d'un réverbère.

À l'intérieur, Manuella a enfilé ses gants de caoutchouc et astique les centaines de carreaux blancs. Les décapants modernes sont épatants. Leur odeur de citron vert élimine en partie la fétidité. Elle décontamine les narines.

Eille mahn douyoukomouifmi... Georges vient d'arriver. Il chante encore plus fort que d'habitude, semble-t-il. Est-ce à cause de son nouveau casque d'écoute qui le fait ressembler à un extraterrestre de série Z ou est-ce pour dissimuler sa peur d'asperger du sang de boucher ? Un vague salut du menton et le troisième larron prend sa place dans la ronde des préposés à l'entretien. Il a fixé une brosse au bout du manche de son nettoyeur haute pression et s'apprête à exterminer les taches rebelles en haut des murs et sur le plafond. Son arrivée *a cappella* apporte un vibrant souffle de vie dans l'endroit. Nounours et Manuella se dirigent spontanément vers lui. Le grand lui donne une tape dans le dos. La femme lui accorde un baiser sonore. Georges ricane. C'est rassurant de se retrouver, de recréer l'équipe.

Nounours effectue son second voyage en direction du conteneur. Ses muscles se réchauffent, il force moins. Ses idées s'éclaircissent. Il songe à Fred. A-t-il eu raison de lui accorder sa confiance ? Où le frisé a-t-il bien pu planquer ce que la ville entière semble chercher ?

La soirée d'hier s'est conclue sur une entente. Ils ont décidé de mettre la main de côté durant une semaine, le temps de neutraliser les Imparfaits. En fait, ils savent qu'ils affrontent une organisation qui les dépasse et que le moindre impair leur serait fatal. Ça en coûte à Nounours de devoir tempérer ses ardeurs, mais il s'en remet à Fred pour ce qui est de la stratégie. Lui, il aurait plutôt un réflexe de bulldozer : on fonce dans le tas ! Il n'aime pas le frisé pour autant, au contraire, mais cette alliance provisoire le rapproche de l'objet de sa convoitise.

Ils doivent détecter la faiblesse dans la cuirasse de Sergent. Leur profil de solitaires leur procure un avantage sur la bande organisée. Ils espèrent se faufiler entre les mailles du filet. Fred affirme que personne ne trouvera la main, qu'elle repose en lieu sûr. Nounours lui a demandé de la voir, mais le pickpocket a refusé. On avisera au moment opportun. En attendant, ils doivent profiter de cette monnaie d'échange et de l'anonymat du géant pour agir à leur avantage. Les hommes de Sergent ont vu Nounours, mais ils ignorent encore tout de lui : son nom, son adresse, sa profession.

Après s'être mis d'accord avec Fred, le grand est rentré en vélo. Une première explosion de joie jaillissant des habitations lui a appris que les rouges venaient d'égaliser. Il a pédalé plus vite, espérant regarder la fin du match dans son bar habituel. Le Douze, c'est fini, il n'y retournera plus. Trop risqué. La prochaine fois, Fred et lui se rencontreront sur ses terres, devant ses amis de boisson.

Cela rassure le géant de reprendre ses activités à l'abattoir. La routine devient salvatrice.

Le colosse entame son quatrième voyage quand soudain, il s'arrête. Un événement vient de se produire, mais il ignore encore quoi. En fait, on dirait plutôt qu'il manque quelque chose. Le grand pose sa poubelle, reprend son souffle, écoute.

Rien.

Justement, c'est ça. Il manque une voix. Celle de Georges. Le jeune a cessé de chantonner. On entend le compresseur encore en activité, mais aucun jet d'eau n'en sort. Voilà qui est singulier. Georges travaille avec régularité, sans prendre la moindre pause, constant. Son baladeur ne quitte jamais ses oreilles et il fredonne sans arrêt les refrains et les couplets.

Nounours patiente cinq secondes. Le jeune Noir va reprendre son chant… *Aillekhanmeklovifiou.* Non.

Le grand abandonne sa poubelle vide et se dirige vers le bruit du compresseur. Georges se tient immobile, livide. Ses écouteurs traînent par terre. Il fixe un point précis sur le sol. Lorsqu'il aperçoit Nounours, il tend son index dans cette direction, sans un mot. Il paraît au bord de l'évanouissement. Nounours appelle Manuella, qui accourt. Elle aussi devait sentir le changement dans l'air, car elle s'approchait déjà, la mine défaite. Prémonition.

Nounours avance très lentement. Qu'y a-t-il là ? Un rat crevé ? Un fœtus décongelé ? Une tête de veau décomposée ? Les lèvres de Georges laissent maintenant échapper une sourde plainte. Un son geignard.

Manuella s'est plaquée derrière le géant. Ils avancent d'un même pas. Quand ils découvrent enfin ce qui a pétrifié Georges, Manuella hurle sans retenue. Elle sort, se précipite vers la voiture de police en implorant le flic de venir. Elle ne veut plus rester là. Elle craque.

Nounours a rejoint Georges. Il lui pose le bras sur l'épaule et le fait pivoter pour l'arracher à sa contemplation. Lui-même ne peut détacher les yeux de ce qu'il voit.

Une main gît dans la rigole d'évacuation des eaux. Une main d'enfant.

Une main gauche. Encore.

Le policier accourt, accompagné d'un Darfeuille essoufflé. La macabre découverte accable le chef d'entreprise. Il se lamente. Et merde, ça n'arrêtera donc jamais. On ne peut pas fermer l'abattoir plus longtemps. On frôle la faillite.

Le flic balaie les plaintes du patron d'un geste agacé. Il demande aux deux nettoyeurs de reculer, puis interroge Georges. D'où sort cette main ? Elle n'est pas tombée du ciel.

Il semblerait que si, justement.

Georges explique du mieux qu'il peut. Il est perturbé. On le serait à moins. Malgré cela, il s'exprime clairement, de façon articulée. Depuis le début, Nounours croyait avoir affaire à un de ces jeunes décrocheurs de l'école, plutôt porté sur les substances chimiques. Le cliché vole maintenant en éclats sous les phrases concises de celui qui ressemble davantage à un étudiant qui finance ses études en bossant la nuit.

Il arrosait le haut des murs. À la limite du plafond, il y a une sorte de corniche qui dépasse de dix centimètres. Il faut la doucher en abondance, car c'est un vrai nid à bactéries, ce truc. Georges commence toujours son lavage par là, puis il descend. Il déloge les araignées, des centaines de mouches mortes, un tas de poussière. Soudain, ce machin a jailli, lui a quasiment sauté à la figure. Il a cru que c'était un oisillon égaré qui s'était réfugié là depuis deux jours. Ça arrive. Mais il a vu que c'était mort, alors bon, il s'est approché. Et il a découvert cette main. On dirait une main de gamin, non ?

Le policier prend quelques notes. Il répète à plusieurs reprises qu'il ne faut toucher à rien, puis appelle son supérieur et les gars du labo. Il discute fort. Ça expliquerait pourquoi les deux bouchers se sont entretués. Il va falloir qu'il parle, maintenant, le jumeau. Qu'il dise où il a caché le reste. Non, sûrement pas ici. Faut-il quand même revérifier le contenu des poubelles ? C'est à la limite de l'insalubre.

Darfeuille essaie de prendre la parole. Un moment, s'il vous plaît. Le flic donne ses instructions : Georges ira faire sa déposition au poste de police. Manuella et Nounours doivent continuer leur boulot.

Le colosse a eu un doute en apercevant la main gauche. Elle ressemblait tellement à l'autre, à « la sienne ». Fred serait venu la dissimuler ici ? Impossible et ridicule. La police n'a pas quitté les lieux après le meurtre du boucher. La main se trouve là depuis le fameux soir. Un des deux frangins l'a sans doute lancée là-haut. Visait-il la corniche ou voulait-il simplement s'en débarrasser ? Bon sang, si les enquêteurs l'avaient découverte plus tôt, Nounours n'aurait pas les Imparfaits à ses fesses.

Et si c'était Georges qui l'avait apportée ? C'est fort possible, malheureusement. Le flic ne les a pas fouillés quand ils sont arrivés. Pourquoi l'aurait-il fait ? Ils ne sont pas considérés comme suspects. Mais le Noir, on ignore tout de lui. Il était introuvable pendant deux jours. Facile d'amener une main et de faire croire qu'elle s'est précipitée sur lui. Parce que, le coup de la corniche, ça semble pas mal tiré par les cheveux.

Si Nounours raisonne ainsi, les pensées de l'inspecteur suivront probablement des méandres parallèles et parviendront à une conclusion similaire. Manuella, Darfeuille et les journalistes risquent aussi de procéder de même.

Pourtant, Georges paraissait sincèrement effrayé par sa découverte. Nounours l'a bien senti.

Le géant se dit que la main se trouvait vraiment sous le plafond.

Mais pourquoi des mains gauches ? La *sinistra*, dit-on en italien pour désigner une main gauche. Sinistre, en effet.

Cette main en est une autre. La paume paraissait plus courte, avec les ongles rongés et il n'a pas vu de traces de vernis carmin. Oui, le grand a eu le temps de remarquer ça.

Il saisit une lourde poubelle verte, l'emporte vers la sortie. Il a la sensation de traîner un fardeau. Celui de la preuve. À cet instant, lui seul sait qu'il y a deux mains tranchées dans cette histoire. Pourquoi deux ? Il ne s'en préoccupe pas réellement. Rapportera-t-il la nouvelle découverte à Fred ? Ou gardera-t-il cette carte dans sa manche pour déstabiliser le pickpocket au moment opportun ?

Tôt ou tard, les Imparfaits l'apprendront. Quelle sera leur réaction ? Cherchent-ils une ou deux mains ?

Où sont les corps des fillettes ?

Nounours songe que celle qu'il aime est différente. Elle possède une aura que la nouvelle n'a pas.

Maintenant, il faudrait attirer les inspecteurs sur la trace de la jeune fille disparue non loin de l'abattoir. Non, surtout pas. Nounours déraille. Les flics sont des pros, ils finiront par comprendre l'évidence.

L'affaire sera close.

Nounours pourra se concentrer sur sa nouvelle obsession. Encore une dizaine de contenants à vider. Il ne faut pas ralentir. Il doit continuer à transpirer, se fatiguer, s'épuiser le corps et les méninges.

Manuella frotte avec rage, des larmes plein les yeux. Pourquoi la propreté ne reste-t-elle jamais ? Où la saleté trouve-t-elle cette énergie pour tout recouvrir, pour s'étendre et s'incruster ? Manuella la repousse encore et encore, mais jusqu'à quand ? Un jour, elle lâchera son éponge à ses pieds et regardera l'encrassement se répandre. Elle lance un regard éperdu en direction du géant. Ce grand balourd n'a donc aucune compassion ? Ne voit-il pas le chagrin qui empoisonne sa collègue ? Elle aurait besoin qu'il l'enveloppe de ses bras, qu'il la serre, la réchauffe. Ce travail ne devrait pas être si éprouvant. On tue les animaux dans les abattoirs, pas les enfants. Et on n'a pas le droit de les découper, ici pas plus qu'ailleurs.

Treize

Il est tard. Il faut rentrer.

Trois voitures pleines de policiers en tenue et en civil sont revenues sur les lieux du crime. Ils ont bouclé l'abattoir, au grand dam de Darfeuille junior qui a préféré abandonner ses travailleurs. Il est parti au volant de sa sombre limousine, plutôt que de voir « ça ».

Nounours aide Manuella à ranger son matériel. Ils se taisent, se frôlent, sont las.

Demain, ils ont un congé forcé. Ensuite, on avisera. Le patron les appellera.

Les flics les retiennent un quart d'heure supplémentaire. Ils posent des questions sur Georges, sur les bouchers, sur Darfeuille. Nounours et Manuella racontent ce qu'ils savent : presque rien. Les enquêteurs ont déployé des échelles et inspectent toutes les corniches de l'abattoir. Au cas où il resterait une sombre découverte à faire. Mais non.

Le géant sort avec sa collègue sur les talons. Il récupère son vélo. Ils marchent côte à côte. C'est fou comme on connaît peu les gens avec qui on passe le plus de temps. Manuella tente d'engager la conversation. Nounours acquiesce mollement. Ni convaincu ni convaincant.

Elle demande si elle peut l'accompagner un bout de chemin. Leur dialogue vire au monologue. Nounours ne sait pas quoi répondre. Les femmes sont étrangères à son existence. Il n'est pas tombé amoureux de cette main par hasard. La présence de Manuella est quand même agréable. Il pense qu'elle pourrait devenir sa sœur, mais il sent qu'elle espère autre chose. Ce n'est pas un grand frère qu'elle cherche. Elle a besoin de se sentir femme.

Nounours se tait. Inconsciemment, il accélère sa marche. Manuella doit faire deux pas quand lui n'en allonge qu'un. Elle s'essouffle, tente de parler, mais ça devient impossible. Tu vois… Je suis… Quand même… On ne peut pas discuter et courir en même temps.

Le géant écoute-t-il ? Il ne réagit plus, plongé dans son monde intérieur. Ses deux hémisphères cérébraux sont occupés par une main fragile et abandonnée. Il n'y a là aucune place pour une dame.

Manuella s'arrête. Elle voudrait pleurer. Elle le déteste. Elle les hait tous. Sales égoïstes. Elle peste, tape du pied.

Nounours a déjà franchi dix mètres. Il se rend enfin compte que Manuella ne trottine plus près de lui. Il se retourne. Est-elle en train de renouer son lacet ? Non, elle s'éloigne, claquant du talon, rageant.

Il la regarde un moment s'éloigner. Devrait-il la rattraper ? L'inviter chez lui ? Faire un homme de lui ?

Il pourrait la saisir par la taille, l'emmener sur son vélo, la porter jusque dans sa chambre et lui faire l'amour dans l'odeur de cari. Ça les détendrait.

Nounours hausse les épaules.

Il chevauche sa bicyclette. Il a soif. Il ressent tout à coup un urgent besoin de boire une bière. Ou deux. Ou treize.

Il songe à Georges. Il revient à son raisonnement. Le jeune Noir aurait-il triché ? Comment le savoir ? Le gars ne laisse rien filtrer, ni sentiments ni anecdotes. Nounours est mal placé pour juger son comportement autiste. Lui-même n'est pas un modèle d'extraversion. Georges est un jeune employé au salaire minimum et quelques grosses coupures froissées parviennent généralement à convaincre le plus pur des incorruptibles. S'il étudie, ainsi que Nounours le pense, il a des frais supplémentaires, des livres et du matériel à acheter. Une chose est certaine : le gamin est intelligent. Même en évitant les conclusions hâtives, on peut se demander d'où sort ce nouveau casque d'écoute qui crachait ses décibels dans ses oreilles. Si on vous offre la possibilité d'acquérir un appareil jusque-là inaccessible, ça change votre perception du bien et du mal. De quoi chanter encore plus fort *ouiarzeucouinofzeoueurl.*

Nounours écrase les poignées de freins, tourne le guidon, vire de bord. Son regard s'est durci. Il en aura le cœur net.

Le commissariat de police est situé à deux kilomètres. S'il se dépêche, il peut retrouver Georges avant que ce dernier ne rentre chez lui après sa déposition écrite. Il inventera un bobard. Il racontera qu'il doit lui parler au sujet de son horaire de la semaine, qui a changé.

Les rues sont paisibles. La fièvre de la veille a épuisé les ardeurs. On s'est couché tôt, on récupère, on dessoûle. On a fini par gagner trois à un, on est les meilleurs.

Le vélo progresse en silence. Au loin, des gyrophares s'éteignent. Une voiture de patrouille regagne ses pénates. Le commissariat n'est plus très loin. Nounours se laisse emporter par son élan, profitant de la légère pente qui descend jusqu'à son but.

Filant dans la pénombre, il arrive à la hauteur d'une voiture stationnée à cinquante mètres de l'entrée des flics. Une lueur soudaine le fait sursauter: le bout rouge d'un long cigarillo que l'on fume. Il a le temps de distinguer deux hommes installés à l'avant du véhicule.

Mieux que ça, il reconnaît la forme des lunettes brillantes du jeune stupide qui l'a braqué au Douze. Qu'est-ce que ces malades fabriquent ici ? Ils sont en planque et attendent quelqu'un, ça se voit comme les montures au milieu de la figure de l'autre.

Ils n'ont pas entendu venir Nounours, mais maintenant, ils ne doivent voir que lui, silhouette cycliste zigzaguant au milieu de la chaussée. Sa taille le trahit de nuit autant que de jour. Surtout ne pas ralentir, vite s'échapper par une ruelle. Il entend une portière qui claque, un moteur qui démarre. Le chauffeur a dû laisser son complice sur place et s'apprête maintenant à le prendre en chasse.

Nounours demeure calme. Il part du principe qu'en ville un vélo peut se faufiler là où une auto s'avère trop encombrante. En théorie, du moins.

Il a cent mètres d'avance. Il cherche le coin le plus sombre, frôle le caniveau, accroche son bras à un poteau et s'en sert comme d'un axe pour effectuer un virage à quatre-vingt-dix degrés sans ralentir sa course. En face de lui, une nouvelle rue qui se divise en deux. Il choisit la voie la plus étroite, traverse aussitôt l'espace vide en donnant de violents coups de pédales.

Sur sa gauche, des jardins entourés de clôtures en bois et de haies de sureaux. À droite, un mur d'usine couvert de vieux graffitis invitant à une grève générale et illimitée. Nounours serre son guidon à pleines mains. Les pavés de la chaussée sont mal joints. Ça remue en diable.

Devant lui, il ne voit pas d'autre intersection proche. Il tend l'oreille vers l'arrière. Si l'auto prend la même direction que lui, il est cuit. Si elle bifurque de l'autre côté, ça lui donne une chance d'atteindre le prochain carrefour.

Le son s'intensifie. Nounours coupe la route, file droit dans une haie en priant qu'aucune branche ne lui perce un œil. Le choc est brutal, mais son poids et sa vitesse l'ont transformé en boulet de canon. Il fend la barrière d'arbustes qui lui griffent les joues, les mains, les chevilles. Les feuillages se referment derrière lui à la manière d'un portillon automatique.

Son élan l'aide à rétablir l'équilibre. Il continue sa course sur une dizaine de mètres au milieu de fleurs desséchées, de salades flétries, de fraisiers morts, de pousses de carottes gelées.

Il saute de son vélo, s'étend la face contre terre, aux aguets. Le grondement du moteur enfle, se rapproche, vrombit, s'éloigne, puis ralentit. Le conducteur doit penser qu'il s'est trompé de côté ou il a remarqué la haie transpercée. L'auto effectue un demi-tour, revient en sens inverse, passe à sa hauteur, s'éloigne à nouveau.

Nounours redresse sa monture, gagne l'arrière du jardin et rejoint un sentier qui sépare les potagers d'un alignement de pavillons. Il est en sueur, il sourit. Il est plus fort que ces nigauds.

Il voudrait bien savoir qui les a prévenus. Qui a appelé les Imparfaits pour leur relater l'incident de la main descendue du ciel. Il y a toujours quelque part un flic corrompu pour accomplir ce genre de besogne. Ou alors, les hommes de Sergent interceptent les communications radio de la police ?

Rien n'est sûr.

Il aurait préféré en jaser avec Georges. Si ces deux incompétents attendaient l'Haïtien, ce n'était sûrement pas pour le raccompagner chez lui, mais pour lui faire cracher le morceau. Ce qui tendrait à prouver que Georges n'a pas placé cette seconde main dans les pattes de la police. Il l'a réellement découverte par hasard. Nounours ne peut plus rien pour le Noir. Il espère qu'il ne lui est pas arrivé quelque chose de fâcheux.

Ces voyous paraissent en quête de la moindre information possible. Nounours conserve un mince avantage. Jusqu'à quand ?

Demain, il fera le point avec ce filou de Fred. Ce dernier a-t-il lui aussi reçu une seconde visite des Imparfaits ou ceux-ci le laissent-ils tranquille, préférant suivre cette nouvelle piste ? À vérifier.

Quatorze

On se croirait dimanche. À cause du calme dans la maison. Silence total. Le camion des éboueurs freine dans la rue. Il est donc aux alentours de dix heures. Et nous sommes lundi.

Fred se lève d'un bond et va directement examiner son visage dans le miroir accroché au-dessus de la commode rococo. Les croûtes sur les pommettes durcissent, elles devraient tomber d'ici quarante-huit heures. L'œil demeure gonflé, le noir s'est étalé à la manière d'une aquarelle. Un bon maquillage fera l'affaire, mais pour aujourd'hui, repos forcé. Heureusement qu'il a ses économies. Ça le rassure.

Il dévale les escaliers, inspecte la rue devant la maison, au cas où des Imparfaits guetteraient sa sortie. Aucun danger ne se profilant à l'horizon, il déverrouille la porte d'entrée et ramasse le journal.

Le titre à la une lui saute aux yeux: *La main retrouve sa propriétaire.* Avec photos à l'appui et reportage détaillé.

Fred se rue dans la cuisine et étale le quotidien sur la table.

On raconte d'abord l'histoire de la main coupée retrouvée par Georges, dans le même abattoir où se sont entretués les deux bouchers. Après la macabre découverte, les policiers ont sorti le boucher survivant *manu militari* de son lit d'hôpital.

Après qu'on l'eut menacé de lui supprimer son goutte-à-goutte, le gars a fini par avouer. L'article ne donne pas ces précisions, mais on sous-entend que les enquêteurs n'y sont pas allés de main morte, c'est le cas de le dire.

La main est celle d'une fillette qui avait disparu depuis quatre jours. Le boucher a expliqué qu'il l'avait découverte dans un sac en plastique que transportait son frère. Il avait fouillé dans sa boîte à outils, car il le soupçonnait de lui avoir emprunté son tranchoir préféré. Ce qui était vrai. Ils se sont engueulés, battus. Son jumeau a alors affirmé qu'il avait enterré le corps de la malheureuse dans un boisé en dehors de la ville. Il a promis de se rendre à la police et puis, juste après, il s'est rué sur lui. Le survivant affirme qu'il n'a fait que se défendre des attaques du frérot. Quand il a été blessé et que sa vie fut réellement en danger, il n'a plus hésité : il a planté un couteau dans le ventre de son agresseur. Le frangin infanticide est décrit comme un homme sanguin, impulsif, dangereux. Le mal personnifié. Le meurtre est celui d'un pervers dégénéré, c'est facile à comprendre.

Dans l'article, il est fait mention des deux collègues du jeune Noir : une femme et un genre de titan. Fred devine que ce dernier est Grand Diable. La main gauche trouvée par Nounours provient forcément du même abattoir. Fred enregistre cette précieuse information.

Mais personne ne fait allusion à l'autre, celle qui est congelée dans son garage. Pourtant, il n'a pas rêvé : le géant l'avait en poche et Sergent la cherche partout. Fred a cru un court instant qu'il s'agissait des deux mains coupées de la même victime, mais il est précisé dans le quotidien qu'elle provient d'un bras gauche.

À quoi joue-t-on ?

La réponse pourrait arriver avec les coups portés à la porte.

Fred reconnaît les montures métalliques du jeune sbire. Derrière lui, son fidèle acolyte pianote avec impatience sur la rampe de l'escalier.

Le pickpocket invite les visiteurs à faire un tour du pâté de maisons. Ils sont têtus, ces gars. Fred prend les devants, il réaffirme qu'il n'en sait pas plus que la dernière fois.

Le vieux lui propose un marché. Ils ont beaucoup d'argent pour lui, s'il leur retrouve la main. Peu importe où et comment. Fred ne laisse pas paraître sa jubilation intérieure. Enfin, on se raconte des choses intelligentes. Il ne répond pas encore, préférant étirer la sauce. Et la main retrouvée à l'abattoir, alors, ce n'était pas elle qu'ils cherchaient ? Ça doit bien se dévaliser, un poste de police. Tout se cambriole.

Yeux dans les yeux, on explique à ce petit con que ses questions sont superflues. Un: qu'il s'occupe de ses oignons. Deux: qu'il retrouve la main qu'on lui demande. Trois: qu'il échange la marchandise contre cinquante mille euros.

Jolie somme, mais il y a sûrement moyen d'obtenir davantage. OK, Fred va voir quels miracles il peut accomplir pour donner un coup de main. Il s'excuse pour le jeu de mots involontaire. C'est une expression, vous comprenez. Le jeune miro blêmit. Sergent se montrera généreux, mais il ne faudrait pas trop tirer sur la corde, minus. Sinon, couic !

Ils ont repris leur balade forcée. Ils arrivent en vue de la maison. Une dernière chose, le petit rigolo. Voilà la fameuse phrase qu'on prononce en feignant d'y penser soudainement alors qu'on y songe depuis le début de la conversation. S'il essaie de leur refiler une autre main qu'il aurait dénichée dans ses archives, il est mort. Sergent veut la bonne, pas une doublure. Il saura la rcconnaître, quoi qu'il arrive.

Fred opine du bonnet. Il note un numéro de téléphone où les joindre, rentre chez lui.

Les affaires reprennent.

Quinze

Nounours est réveillé par le téléphone. Les sonneries se suivent sans relâche, insistantes. Il n'a aucune idée de l'heure qu'il est. La veille, après son excursion forcée au pays des poireaux, il a effectué une halte à son bar pour reprendre ses esprits.

Le retour à la réalité est brutal. Sommes-nous en matinée ou en soirée ?

Les yeux encore fermés, Nounours se lève et marche vers l'appareil qui l'appelle. Il doit stopper ce vacarme et retourner sous sa couverture. Il décroche enfin le combiné, le colle sur son oreille, attend sans rien dire.

Une voix aiguë lui parvient. Elle sort de la bouche en cul de poule de Darfeuille. Qu'est-ce qu'il lui veut, encore ? Aurait-il besoin d'un homme fort pour débloquer son vide-ordures engorgé ? Bien sûr que non.

Les paupières closes, le front appuyé contre le mur, le grand répond aux questions par de vagues onomatopées. Son interlocuteur semble satisfait de ce bruitage buccal, car il poursuit son soliloque. Nounours a du mal à comprendre où son patron veut en venir. En fait, il tourne autour du pot, lui demandant s'il se remet des émotions d'hier, si ça ne l'a pas découragé, que ce sont les risques du métier… Depuis quand le jeune Darfeuille se soucie-t-il du moral de ses troupes ? Aurait-il décidé d'appliquer l'une de ces nouvelles techniques de management où l'employé est plus choyé qu'une poule couveuse galopant en liberté surveillée sous des haut-parleurs diffusant du Beethoven ?

Allez au fait, monsieur, finit par souffler Nounours. Cet imbécile est en train de le réveiller complètement.

Voilà, c'est pour un ami, j'aurais un petit service à vous demander, susurre Darfeuille. Ou plutôt, vous devez me dire oui, parce que sinon, vous et moi sommes dans le pétrin. Et profond.

Bon, on passe enfin aux choses sérieuses.

Le patron parle alors d'un ami à lui qui a lu le journal ce matin. Vous l'avez lu également, je suppose ? Non, Nounours émerge du brouillard. Quel jour sommes-nous ? Quelle heure est-il ?

Darfeuille répond qu'on est lundi et qu'il est

onze heures du matin. La journée s'annonçait belle jusqu'à cet appel qui l'a vraiment mis de mauvais poil. Son ami a le bras long et musclé. Si Nounours refuse de coopérer, ça risque de devenir laid. Car son ami ne comprendrait pas.

En vérité, Nounours a du mal à saisir. Que désire donc ce fameux ami ? Il n'a pas de nom ?

Darfeuille s'empêtre dans ses explications. Il ignore ce que Nounours a fait et il ne veut surtout pas le savoir, mais il dit qu'il se trouve en mauvaise posture et que le géant peut éviter le pire s'il accepte de rencontrer cet homme.

Nounours écarquille les yeux. Mais qui cherche ainsi à le contacter ?

Darfeuille parle soudain plus bas au sujet d'une main trouvée. Une autre main que celle d'hier. Nounours devrait comprendre, lui. Sa voix est chevrotante. Darfeuille est mort de peur. Son ami si puissant lui fout la trouille. Le patron se dévoile sous son vrai jour: un pion qu'on manipule à sa guise.

Nounours réalise alors que Darfeuille n'est qu'un sale mouchard à la botte des Imparfaits. C'est lui qui a dû alerter les deux olibrius après la découverte de Georges. C'est lui aussi qui fait le lien entre les bouchers assassins et le dénommé Sergent dont lui a causé Fred. Le géant n'a pas trop envie de se laisser mener par ces affreux. Sauf que maintenant qu'ils l'ont retrouvé, qu'ils savent qui il est et où il habite, que peut-il faire ? S'enfuir ? Se cacher ? Où ?

Nulle part.

Il est coincé comme un rat. Il faut qu'il demande conseil à Fred. Lui seul peut le sortir de ce guêpier. À condition qu'ils aient le temps de se rencontrer.

Bon, c'est d'accord, monsieur Darfeuille. Quand... commence-t-il à répondre. Son patron n'attendait que ça pour lâcher son information capitale : une voiture viendra le prendre aujourd'hui à seize heures devant le Bombay Star. L'ami était à la campagne, il revient exprès. Nounours promet de se présenter au rendez-vous. Hypocrite, il précise qu'il agit ainsi juste pour faire plaisir à son supérieur.

Ça ne laisse que peu de temps pour retrouver ses esprits, rencontrer le pickpocket et établir une stratégie. Sergent veut la main à tout prix. Qu'est-ce qu'elle a donc cette main ? Désire-t-il aussi l'autre, celle découverte par Georges ? Le chef des Imparfaits collectionne-t-il les mains gauches ?

Nounours s'éloigne du téléphone. Tu parles d'un début de journée de cul. Maintenant, il est aussi éveillé qu'un condamné à mort qu'on installe sur la chaise électrique.

Le voilà reparti. Il a un peu plus de quatre heures pour trouver Fred, trouver la main, trouver un plan, trouver la faille chez son adversaire, revenir, vaincre.

Le trajet lui fouette les sens. L'air frais le rassérène. Il en oublie ses ennuis. La bicyclette devient sa thérapie.

De loin, il repère Fred devant chez lui. Le frisé disparaît par la porte de son garage. Nounours cache son vélo derrière un tas de bois. Il voit là un signe du destin. La main lui porte bonheur.

Nounours s'approche sans bruit de la porte métallique, il tourne la poignée, pénètre dans un étrange capharnaüm, referme doucement derrière lui. Il cherche Fred, ne le voit pas. Où est-il passé ?

Il découvre un amoncellement de rebuts disparates. On se croirait au rassemblement annuel des objets usagés. À quoi peut bien servir un tel bazar ?

Fred n'a pas pu ressortir. Il est ici. Nounours le devine, blotti, telle une souris dans son nid. Puis une lueur jaillit contre la paroi en béton dans le fond. Une lumière froide qui ne dure que quelques secondes. Ensuite, il perçoit le son d'une bouteille de boisson pétillante qu'on décapsule. Le frisé vient de se servir un rafraîchissement dans un frigo dissimulé à l'arrière du garage. Comment est-il parvenu jusque-là ? On dirait pourtant qu'il n'y a même plus assez de place pour entreposer un manche à balai.

En y regardant de plus près, il remarque une trace sur le sol. On a déplacé cette faux ici. Nounours la soulève délicatement, libère l'espace qu'elle occupait, découvre un début de passage, s'y glisse. Si Fred a utilisé ce goulet d'étranglement pour circuler, le géant aura du mal à le rejoindre. Il rentre son ventre et serre les fesses, déplace des chaises. Il fait sombre, mais un plafonnier permet de se repérer. Nounours avance avec souplesse malgré sa taille. Il veut surprendre le frisé. Il sent qu'il est sur le point de découvrir sa cachette.

Le garage est peu profond. Nounours aperçoit Fred entre deux pots d'échappement percés. Que manigance-t-il ? Il manipule des papiers, des billets plutôt. Il les compte à la manière d'un Harpagon d'opérette, s'humectant le pouce toutes les cinq coupures.

Il faut le prendre en flagrant délit.

Le géant soulève le dernier obstacle avant d'atteindre son but : une pile instable de jerrycans jaune et noir, souvenirs d'une lointaine expédition dans des zones sahariennes. Les bidons s'affalent sur les autres épaves savamment disposées. La ferraille produit un boucan d'enfer. Fred étouffe un cri et découvre le géant qui rit comme un gamin, fier de son coup.

Le frisé n'a pas l'air heureux de voir apparaître son complice. Ni sourire, ni exclamation joyeuse, ni salut amical. Il devrait demander à Nounours comment celui-ci a pu le retrouver ici. Mais à quoi bon ? La présence de Grand Diable dans le garage prouve que Fred a agi sans précaution. Il a bêtement oublié de refermer le verrou derrière lui. À l'heure qu'il est, les deux Imparfaits pourraient occuper la place du géant et ce serait catastrophique. Au moins, avec le grand, il y a moyen de discuter.

Nounours s'amuse de la déconvenue du pickpocket. Ça ressemble à l'histoire de l'arroseur arrosé. Puis, tout de go, il lui fait un topo rapide sur la situation. Leur temps est compté. Les Imparfaits ont retrouvé sa trace. Sergent veut le rencontrer. Ça sent mauvais. Il agirait comment, lui, à sa place ? Ils veulent savoir où Nounours a trouvé la main, même s'ils s'en doutent. Ils vont lui demander où elle est présentement. Que doit-il répondre ? Fred lui conseille de raconter la vérité, c'est-à-dire qu'il la lui a volée.

Nounours jette un regard concupiscent vers le frigo. Elle est là ? Arrête tes conneries, le grand, siffle le pickpocket. Le ton de la réponse trahit celui qui l'a prononcée. Bien sûr qu'elle se trouve dans ce réfrigérateur pour nabot. Où d'autre pourrait-elle reposer ? Le moteur du frigo se met en marche, semblant signifier qu'il prend soin de sa frêle occupante.

Le nettoyeur au chômage serre les dents. Pourquoi repartirait-il bredouille ? Ils avaient un plan, ils devaient gagner du temps, mais les Imparfaits ne les laisseront plus tranquilles. S'il laisse Fred agir à sa guise, il risque de perdre sa dernière chance de revoir « sa » main.

Il se campe devant le frisé, hausse la voix. Il exige

de la voir sur-le-champ. L'intonation n'admet aucune réplique. Fred préfère la négociation. Il offre de l'argent à Nounours, une belle somme qui lui permettra de se mettre au vert, de se faire oublier, de tenter sa chance ailleurs, sous les cocotiers par exemple. Ce serait sage pour Nounours, ces gars-là n'ont aucune espèce de pitié, ni d'humanité.

Paf ! Le coup part, pas fort. Fred s'étale sur le sol, sonné. Par miracle, son crâne ne rencontre rien dans sa chute.

Les discussions finissent par exaspérer Nounours. Il pousse le corps inanimé, ouvre la porte du réfrigérateur, inspecte vite l'intérieur, repère la main, la sort, l'examine.

Elle lui apparaît identique à la première fois, mais le plaisir de la revoir décuple son attrait. Si menue dans sa grosse paluche, elle semble là en sécurité. Il perçoit son immobilité comme un signe de repos. Elle s'abandonne à lui.

Mais elle n'est que chair morte.

Cette émotion est insensée, ridicule et malsaine. Mais tellement intense. Il l'a retrouvée. Il ne la quittera plus. Avec lui, elle se sentira partout en sécurité. Il revient, empile des liasses de billets et les glisse dans sa poche. Il va suivre le conseil du pickpocket et disparaître dans la nature. Maintenant qu'il l'a, plus rien ne le retient dans cette ville.

Seize

Nounours enfourche sa bicyclette. Il se sent invulnérable, hors de portée des projectiles et des quolibets. Blottie contre sa peau, sa délicate amie lui tient lieu de grigri.

L'employé de l'abattoir fonce vers son appartement. La cloche d'une église vient de sonner ses deux coups de l'après-midi : il a donc le temps d'entasser sa maigre garde-robe dans une valise, puis de disparaître avant l'arrivée de Sergent.

Sa solitude ne lui a jamais paru si douce.

Près de son logement, il guette la présence éventuelle de la limousine des deux fatigants affiliés aux Imparfaits. Rien à signaler, la voie est libre.

Il se gare comme d'habitude sous le porche de l'entrée du Bombay Star. Il attache sa bicyclette quand une douce poigne le saisit, l'attire en arrière sans violence.

Nounours a reconnu l'odeur de cari: il n'oppose aucune résistance. Une des jolies serveuses du restaurant s'adresse à lui en pointant le doigt vers le plafond. Elle murmure. Il y a eu des hommes et des bruits de bagarre. Bing, bang. Le patron a voulu monter pour savoir ce qui se passait, mais quand il a aperçu deux individus redescendre un gros paquet dans une couverture, il a préféré demeurer tranquille. Elle pense qu'il s'agissait du corps d'un mort. Elle dit cela sur un ton plus proche de l'excitation que de l'effroi. Ensuite, ils sont revenus. Elle frémit. Il y a du danger chez toi, insiste-t-elle.

Nounours hoche la tête. Sergent a débarqué plus tôt que prévu. Mais qui s'est ainsi battu ? Darfeuille ? Non, son patron est trop pleutre. Il hésite: doit-il fuir sur-le-champ ou affronter une dernière fois l'inconnu ? Il a besoin de savoir. En avoir le cœur net pour s'éclipser l'esprit tranquille.

Toujours habité de cette sensation d'invincibilité, il décide de grimper la volée de marches.

Mais avant, le géant pénètre dans l'arrière-cuisine du Bombay Star avec la jeune femme. Il attrape un torchon propre sur une étagère, le déploie, y glisse le sac en papier, le replie, ouvre la grande porte en inox d'un frigo et installe son trésor entre deux cagettes de cuisses de volailles congelées. Ensuite, il explique à la jolie Indienne qu'elle ne doit pas s'inquiéter. Le paquet ne contient ni drogue, ni explosifs, ni quoi que ce soit de dangereux, mais elle ne doit surtout pas y toucher. Et c'est valable aussi pour les autres. Il sera de retour dans une heure au maximum et repartira avec son colis. Elle rougit lorsqu'il la remercie de l'avoir prévenu. Cette fille aime le frisson de l'inattendu.

Il monte l'escalier sans se presser ni se cacher. Son pas pesant résonne à chaque marche. Celui qui veut la main saura ainsi qu'il ne la reverra jamais. Nounours l'a prise sous son aile. Elle ne risque plus rien. Et lui non plus. Le géant s'imagine enveloppé d'une aura invisible et impénétrable. Lorsqu'il parvient devant son entrée, il remarque que sa porte est restée entrebâillée. Il pénètre chez lui d'une démarche assurée. Il ne craint personne. Il l'a. Elle le défendra.

Le canon d'un revolver se fiche dans son cou. On lui bloque le bras dans le dos avec violence. Deux excités le saisissent, lui font signe de se taire et d'avancer. Il se démène pour la forme, pour les tester. Il est plus puissant qu'eux. Il pourra s'échapper le moment venu.

Pour l'instant, sa curiosité est piquée. Où veulent-ils en venir ?

Nounours est poussé dans la salle à manger, face au plan avec ses lignes rouges qui forment une étoile. Une voix retentit dans son dos, mais on l'empêche de se retourner pour voir qui s'adresse ainsi à lui. Le timbre est celui d'un homme âgé, ou du moins d'un homme brisé. Sergent aurait-il peur qu'on voie sa figure ?

Les deux costauds vident les poches du géant, en extirpent les billets qu'ils abandonnent sur le plancher jauni.

L'homme demande à Nounours où celui-ci a découvert la main. Sans attendre la réponse, il veut savoir dans quel état elle se trouve. Il paraît inquiet, impatient.

Nounours commence sa réponse par un « Sergent » vite coupé par l'homme dans son dos. Il n'y a pas de Sergent ici. Il n'est pas Sergent. Il le méprise. Sergent a commandé cette atrocité. Il paiera en temps et lieu. Nounours est invité à poursuivre son récit.

Le colosse ne peut ainsi dévoiler tout ce qu'il connaît. Il exige une garantie. Ils doivent procéder à un échange. Une information contre une autre. Nounours provoque l'inconnu. Il affirme qu'on peut le torturer, ça n'apportera rien. Il n'est du côté de personne, juste du sien. Et d'elle, achève-t-il dans un filet de voix.

L'homme gronde en arrière. Il a compris que le géant possède la main. Il le supplie de la lui rendre. Son timbre a gagné en autorité, en intensité.

La rendre ? À qui ?

L'homme propose de lui raconter toute l'histoire. Il s'enflamme. Il promet, si Nounours restitue son bien, qu'il lui fera le plus beau des cadeaux. Il lui présentera quelqu'un de tellement… unique. La pauvre mignonne. L'homme parle de cette dernière de la même façon que Nounours évoque sa main. Les deux l'ont compris. Ils vivent un trouble semblable, deux sentiments siamois. Il existe un lien de sang entre ces fièvres profondes.

Une filiation.

Nounours ne s'est jamais senti aussi proche d'un humain. Il devient curieux et demande s'il peut se retourner. La question demeure sans réponse. Le malabar à gauche de Nounours jette un regard interrogateur à son interlocuteur mystérieux. Après un bref silence, l'homme reprend la parole. Pourquoi pas ?

Nounours fait face à l'inconnu. Il demeure debout, maintenu de chaque côté par les deux zélés. S'il voulait, il les écraserait comme de vulgaires cloportes.

L'homme est assis à califourchon sur la chaise trouvée dans la cuisine, les avant-bras posés sur le dossier placé devant lui. Il a une bonne cinquantaine d'années, des cheveux blonds et drus, des yeux clairs, un corps mince habillé d'un costume gris perle, sobre et élégant. Fric en vue.

Ses traits sont tendus. Des cernes autour de ses yeux trahissent un grand manque de sommeil.

Il ne révèle pas son identité. Inutile de s'exposer. Il explique que Nounours lui doit la vie. Le géant redresse un sourcil en signe d'incompréhension. Ils l'attendaient sagement ici, lorsque deux hommes sont entrés dans son appartement, armés pour partir à la guerre. L'effet de surprise a joué en faveur des premiers arrivés et après une courte bagarre, ils sont parvenus à les neutraliser, surtout l'un d'eux qui est ressorti les deux pieds en avant. Il faudra remplacer la vieille couverture, car on l'a transporté dedans. Il avait du mal à marcher. À respirer aussi. Ils ont laissé s'enfuir son comparse. Ces types ne rendaient pas visite à Nounours pour organiser une surprise-party. Le jeune excité a perdu ses lunettes dans la bagarre. Il n'ira pas loin dans son brouillard.

Nounours imagine le couple d'Imparfaits réduit à la moitié de son effectif. Sergent sera furieux qu'on ait abîmé sa garde rapprochée.

L'homme blessé devant lui inspire confiance à Nounours. Ils pourraient peut-être faire alliance.

Il prend la parole pour décrire la découverte à l'abattoir, la soirée au Douze, le pickpocket, les Imparfaits qui le menacent, la seconde main découverte par Georges… Il omet des détails, il ment assez mal.

L'homme chic l'interrompt. Où est-elle ?

Nounours l'ignore. Ou plutôt, il soupçonne Fred, mais celui-ci affirme qu'il ne l'a plus. C'est au tour de l'inconnu de parler. Il attaque par une question : dans quel état était la main la dernière fois que Nounours l'a vue ?

Le géant cache mal son trouble. Plutôt bien. Gelée. Quasiment intacte, enfin si l'on peut dire.

L'homme agrippe le dossier à deux mains. Ses jointures blanchissent. Il va craquer. Il domine sa rage.

Nounours n'a aucun droit sur cette main. Elle appartenait... Elle appartient à sa fille. C'est sa main. Elle vient de fêter ses neuf ans. Un ange passe. Papa voudrait reconstituer l'intégrité de sa fillette.

L'homme fixe les coupures de journaux punaisées au mur. Il explique qu'il est dans le commerce et que Sergent est dans le racket. Le chef des Imparfaits le menaçait depuis six mois pour lui extorquer des fonds. Il réclamait une grosse somme en échange d'une prétendue protection. Le père a décidé de lui résister, par principe et aussi par fierté mal placée. Les intimidations se sont accélérées. Il les a ignorées jusqu'à la semaine dernière.

Un inconnu a abordé sa fille dans une épicerie. Il lui a demandé de poser ses mains à plat sur un comptoir pour vérifier si elle n'avait rien volé. Elle a obéi. Trop bien élevée par sa mère, sans aucune malice ni crainte du méchant loup. Tchac ! Un coup de tranchoir l'a mutilée. Le boucher s'est enfui avec sa main.

Quel lâche ! souffle Nounours. Un geste abominable.

Les Imparfaits sont allés trop loin, trop vite. D'habitude, ce type de salopards commencent leur chantage par la section d'une phalange ou d'un lobe d'oreille. Ils n'ont pas dû choisir la bonne personne pour exécuter la sale besogne. L'homme penche pour cette hypothèse. La suite des événements tend à le confirmer.

Ensuite ? On commence à recoller les morceaux.

Pour une raison qu'il ignore, la main leur a échappé et Nounours l'a découverte par hasard. Un hasard qui ressemble à une intervention divine, car il fallait un être pur comme lui pour la recueillir. Nounours rougit, remercie.

C'est alors que Sergent s'est retrouvé dans une position à la fois instable et condamnable. Même si le procédé demeure atroce, l'usage dans ce genre de pratique exigeait d'expédier la main au père pour l'avertir. L'ayant égarée, Sergent perdait du même coup son crédit, son autorité était remise en question.

En prenant seul le contrôle de l'est de la ville, le gang des Imparfaits ne s'est pas fait que des amis. Un groupe d'exclus du nouveau pouvoir agite les esprits, rallie les mécontents, fomente un putsch. La main égarée est devenue un symbole : celui de la perte d'autorité de Sergent. Les plus faibles dans sa bande ont commencé à douter. Les frustrés de l'ancien système ont attisé les braises.

Et l'homme ajoute que le rapport de force s'est inversé : c'est Sergent qui devient le fautif, c'est lui qui a une dette à payer. Le monde des truands suit l'affaire de près. Le code de l'honneur a été réactivé et les jours du seigneur de la pègre sont comptés. S'il ne retrouve pas la main, il va être renversé.

L'homme repousse la chaise, se lève. Nounours doit remettre la main au plus vite. Seul, il ne pourra jamais résister aux malades sous la coupe de Sergent. Le père sait de quoi il parle. Il est ici grâce au concours des dissidents qui veulent prendre la place des Imparfaits. Il a passé un marché avec eux. D'ailleurs, les deux gars présents lui ont été prêtés par ces rebelles. La main coupée pourrait devenir leur drapeau. Et puis, elle ne représente rien pour le géant. Pour le père, elle est essentielle. Alors pour la fille, imaginez…

Qu'espère donc Nounours avec cette main ? Vieillir ensemble ? Il y a là un homme sincère, blessé dans sa propre chair, un père torturé. Il suffit de lui avouer la vérité. D'ailleurs, cette histoire de main qui l'obsède, ça devient de plus en plus morbide et immoral.

Oui mais, comment abandonner ce qui remplit votre vie ? L'enfant fera quoi de ses doigts retrouvés ? Une greffe si tardive est impossible. Alors que Nounours se sent invincible avec eux.

Le père perçoit l'hésitation du géant. Il change de ton. À quoi bon tergiverser ? Si Nounours ne capitule pas, ce sont ses propres extrémités qui seront sectionnées. Le grand sourit. Il n'a pas peur.

Il plonge ses yeux dans ceux du papa. Il ira chercher la main à l'étage inférieur, la remettra au parent meurtri et décampera avec l'argent avant que Sergent ne rapplique avec ses mercenaires.

L'homme le fixe intensément. Leurs visages se touchent presque.

Dix-sept

Nounours demande au père et à ses deux mastodontes de l'accompagner. Ce n'est pas loin. Avant, il prend le temps de ramasser les billets par terre et les tasse dans une casserole qu'il abandonne sur la cuisinière. Personne ne viendra les dérober là. Il explique qu'il n'a pas l'habitude de laisser traîner de l'argent, même si ce n'est pas lui qui l'a malhonnêtement gagné. Voler les voleurs, ce n'est pas répréhensible, du moins Fred ne portera pas plainte.

Le voilà prêt. Messieurs, allons-y. Il fanfaronne pour cacher sa peine. Il faut agir pour le bien de la petite fille, mais se débarrasser de cette main, ça lui fait aussi mal que si on lui arrachait la sienne. Le cordon sera coupé.

Le père s'isole un instant dans la salle de bain. À travers la porte, on reconnaît le son d'un téléphone cellulaire, puis la voix cassée du commerçant. Ça ne dure que trente secondes. Il ressort, déterminé.

Ils descendent au Bombay Star, entrent par l'arrière, repèrent un groupe d'hommes et de femmes en tablier, les rejoignent. Ils sont cinq, dont la serveuse qui a prévenu Nounours. Ils regardent la table, muets. Le torchon est déplié, la main dépasse du sac en papier. Qui l'a sortie ?

Le commerçant se précipite, bouscule les Indiens, couvre la main de tissu et tente de s'en saisir. Un couteau jaillit à l'extrémité du bras d'un cuisinier. Des revolvers sont brandis par les accompagnateurs du papa. Le mouvement de celui-ci est suspendu. On fait quoi, maintenant ? Nounours ouvre ses bras en signe de paix. Évitons de nous entretuer, c'est un malentendu. De sa grosse voix, il tonne que tout cela est de sa faute, qu'il faut le laisser s'expliquer. Les armes blanches comme les armes à feu restent figées. Les pupilles se dilatent sous la tension.

Difficile de rationaliser l'horreur. Les restaurateurs ont découvert ce fragment de corps d'enfant. Il y a là un acte impardonnable. Ces hommes semblent en revendiquer la paternité. A-t-on vraiment envie de les écouter ? Les Indiens s'interrogent du regard. La jeune fille vient à la rescousse de la montagne de muscles. Elle l'invite à s'exprimer au plus pressant. Il a deux minutes pour les convaincre. Ils ont déjà appelé la police.

Nounours balbutie une nouvelle fois le récit de ses mésaventures, qu'il complète avec les éléments du commerçant. Il ne cherche plus à justifier son attachement à la main. Ils sont là pour la récupérer, la rendre à sa propriétaire.

Le père intervient. Il exhorte les restaurateurs à les laisser s'enfuir. Il s'agit de sa fille de neuf ans.

Un coup de feu éclate. Tout le monde plonge à terre. Un individu surgit, accompagné de Jack Hénian et du jeune garde qui a tiré à l'aveuglette, car il est encore sans lunettes.

Le père articule à l'intention de Nounours le nom du nouveau venu sur ses lèvres : Ser-gent. Le chef des Imparfaits ressemble à une caricature : adipeux, suant, avec une face de bouledogue. Sa morgue déborde de partout. Il s'avance rapidement, agrippe le paquet sur la table. Il se tourne vers le commerçant allongé sur les carreaux de faïence. Nous avons failli tous les deux ne jamais la ravoir, gouaille-t-il.

Qui les a avertis ?

Probablement un des policiers véreux dont ils graissent la patte.

Sergent jubile. Il a retrouvé la main et le pouvoir. Il a envie de se pavaner, de faire la roue tel un paon. Il a un auditoire, il commence à raconter. Il sait que ses propos seront rapportés à tous les membres de son organisation autant qu'aux insoumis dont il a reconnu deux représentants ici présents.

Il explique qu'il a engagé le boucher pour trancher

un doigt, mais que cet incompétent a confondu la fillette avec un agneau de lait. Il a sectionné toute une main, puis a paniqué, conscient de sa bévue. Il a conservé le morceau avec lui, mais son frère l'a découvert et il l'a balancé dans une poubelle de l'abattoir. Ici, Sergent marque une pause. Il se trouve bon acteur.

Allongés sur le sol, enchevêtrés entre les étagères, les frigos et les sacs d'oignons, ils sont tous obligés d'écouter le maniaque.

Le boucher à la solde des Imparfaits a alors paniqué. Il a tué une gamine pour avoir une nouvelle main. Il pensait que personne ne remarquerait le subterfuge. À cet âge-là, les mains gauches des fillettes se ressemblent toutes, a-t-il cru bêtement. Ensuite, ça s'est encore compliqué car son frère est revenu à la charge, il voulait savoir d'où venait la première main et il est tombé sur la deuxième. Ils se sont battus… entretués.

Le plus drôle, conclut Sergent, c'est que le survivant n'est pas celui qu'on pense. C'est… Une rafale de projectiles lui coupe soudain la parole. La gorge, pour être précis. Sa glotte explose. Ainsi que celle de M. Haine qui paraît dépassé par les événements. Le jeune bigleux fouille l'immensité floue à la recherche d'un éclaircissement. Il agite son pistolet dans les airs, excité. Le tir suivant n'a pas la même provenance, mais il est tout aussi efficace. L'un des deux gorilles au service du papa a visé et atteint l'œil myope.

Les premières balles meurtrières sont issues d'un fusil automatique brandi à deux mains par Fred qui a débarqué sans prévenir.

Le pickpocket ne tremble pas. Il exige de récupérer son fric. Un point, c'est tout. Clair ?

Sergent et ses deux Imparfaits sont refroidis. On a trois morts et des individus armés à bout de nerfs. Personne ne veut entamer une discussion.

Nounours dévisage le petit escamoteur. C'est fou à quel point l'argent peut donner du cran au plus chétif des humains. Le géant n'aura pas d'autre choix que de lui rendre ses liasses. C'est ce qu'il lui déclare avant que le frisé ne décide de flinguer les survivants. Nounours n'aura qu'à repartir de zéro, revenir à ce qu'il était une semaine auparavant, effacer cet épisode tragique. Mais peut-on oblitérer le passé par sa seule volonté ?

Fred semble soudain changer d'idée. Il braque les protecteurs du commerçant, s'accroupit près du corps de Sergent et regarde le torchon qui dissimule la main. Il ramasse celle-ci et s'adresse maintenant au père. Il retrouve ses réflexes de gagne-petit. Il va falloir payer pour la récupérer. Je ne serai jamais un philanthrope. J'ai mes frais. Je vous contacterai.

L'appât du gain a repris le dessus.

Il bat en retraite, serrant son précieux larcin. Il ne va pas loin. Une lame s'enfonce entre ses deux omoplates. Un couteau projeté par un cuisinier. Fred chute, échappant le paquet. Le tissu se déplie, la main glisse sur le sol. L'assemblée demeure interdite.

Une sirène retentit au loin.

Mais la police arrivera trop tard.

Une petite fille entre dans la cuisine, se penche, attrape la main gauche avec sa main droite. Ses ongles sont recouverts du même vernis. Elle jette un regard circulaire, repère Nounours, lui sourit tristement. Le géant vacille sur ses jambes. Le bras gauche de la fillette est dissimulé par une manche de vêtement qui se termine par du vide.

La gamine place sa main dans sa poche, puis elle tend sa paume ouverte à son père. C'est donc elle qu'il avait appelée plus tôt. Une femme attend dans la pénombre. L'homme annonce que sa famille rentre chez elle, maintenant que cette horreur est finie.

Nounours sait déjà qu'il demeurera à jamais hanté par cette apparition.

Quand les policiers débarquent au Bombay Star, ils découvrent quatre cadavres, un géant qui pleure et des Indiens qui crient tous ensemble pour expliquer ce qui vient de se produire.

Personne ne les croira.

Parus à la courte échelle, dans la collection Jeune adulte

Camille Bouchard

Le ricanement des hyènes

Prix du Gouverneur général du Canada, 2005

Le sentier des sacrifices

Laurent Chabin

Le jeu de l'assassin

Chambre froide

Week-end en enfer

Guy Lavigne

L'obsession de Jérôme Delisle

Mourir sur fond blanc

Pas de quartier pour les poires